超初心者&ITに馴染めない「大人」に贈る

趣味の
ChatGPT

酒井麻里子

理工図書

はじめに

ChatGPT は、難しくも怖くもない

　対話形式で高精度な文章を生成できる AI の「ChatGPT」（チャットジーピーティー）が登場したのは 2022 年末のこと。サービス開始後わずか 5 日で世界のユーザー数は 100 万人を超え、2 か月後には 1 億人を突破するなど驚異的なスピードで広がっていきました。

　ChatGPT は、文章を生成できることから「生成 AI」とよばれています。生成 AI には画像を生成できる「画像生成 AI」もあり、こちらは ChatGPT の登場より数か月早い 2022 年夏頃からブームとなっています。また、ChatGPT 以外にも文章を作ることができる AI が登場しています。そして今、これらの生成 AI が大きな注目を集めているのです。

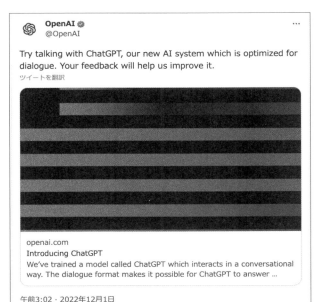

ChatGPT の提供元である OpenAI が、2022 年 12 月 1 日（日本時間）に twitter に投稿した、ChatGPT サービス開始の告知。すべてはここから始まった

「生成 AI が世の中を変える！」と大きな盛り上がりをみせる一方で、高性能な AI が人間の仕事を奪うことを危惧する声や、「AI に頼ることで思考力が落ちるのでは？」と心配する声なども聞こえてきます。そして、「すごいことが起きていそうだけれど、いまひとつ自分の生活への影響をイメージできない」という方もいらっしゃると思います。

この本で伝えたいこと

　私は IT ライターとして、新しい技術やそれをとりまく世の中の動き、使いこなし方などに関する取材・執筆を行っています。研究者やエンジニアといった立場ではなく、業界を少し俯瞰するような立ち位置にいるからこそ、どんな人も、その人なりの形で新しい技術の恩恵を受けて幸せな関わり方をしてほしいと願っています。

「仕事で使う予定はないから、とりあえず覚えなくていいかな」

「創造的な仕事を AI にやらせて大丈夫なの？」

「なんとなく怖い」

「テレビで取り上げられていたので気になっている」

「便利なら使ってみたい」

　ChatGPT などの生成 AI に対して抱く感情は、人それぞれだと思います。本書は、「ChatGPT をガンガン使いこなす予定はない」「でも、少しだけ気になっている」という方が、ChatGPT の基本を理解し、趣味や生活、あるいはちょっとした仕事で ChatGPT を役立てられるようになることをめざすものです。使い方のノウハウだけでなく、AI の基礎知識や ChatGPT の技術的なしくみ、生成 AI をとりまく世の中の動きや課題、文章以外の生成 AI なども幅広く知ることができ、読み物として楽しみながら ChatGPT についてのひととおりの基礎知識が得られるようになっています。

　また、IT に詳しくない人でも理解しやすいように、専門用語やカタカナ言葉の使用をできるだけ減らし、どうしても使う必要がある場合には説明を

加えるようにしています。それでも抵抗を感じるという方は、具体的な活用方法を紹介している2章と3章から読み始めてみることをおすすめします。ChatGPTでどんなことができるのかがわかり、他の章も読み進めやすくなるはずです。

　「新しい技術は若者が使うもの」というイメージを抱いている方もいらっしゃるかもしれませんが、ChatGPTとのやりとりは、人間同士のコミュニケーションに通じるものがあります。そういった意味で、人と人とのコミュニケーションをたくさん経験されている大人世代の方こそ、ChatGPTに的確な「指示」を出し、よりよい活用のしかたができるかもしれません。コツさえつかんでしまえば、難しいことはなく、人間の存在をおびやかすような怖いものでもありません。「最近の技術にはもうついていけない」と感じている世代の方にも、ぜひ生成AIの世界を楽しんでもらえたらと願っています。

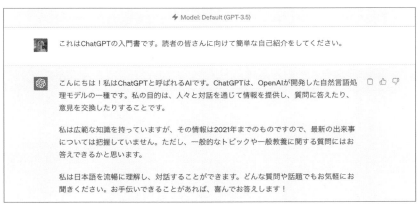

ChatGPTから、読者の皆さんへ向けた自己紹介。このように、人間に仕事を依頼するような自然な会話形式で文章を生成することができる

CONTENTS

chapter03　　ChatGPT を仕事に使ってみる

chapter04　ChatGPT を " もっと " 使いこなす

chapter05　生成 AI 普及の可能性と課題

chapter06　さらに広がる生成 AI の世界

本書は 2023 年 7 月時点の情報をもとに執筆しています。

本書の発行後に、サービス内容や画面構成、料金などが変更される場合もあります。

最新情報については各サービス提供元の公式サイトなどをご確認ください。

chapter01

ChatGPT って何？

意外と古い AI の歴史

　ChatGPT は、テキスト（文章）による会話形式で質問と回答のやり取りを重ねながら、必要な情報を得ることができるサービスです。たとえば、お題を与えて川柳を作ることもできますし、冷蔵庫にある食材と自分の好みを伝えて夕食のメニューを考えてもらうこともできます。仕事で使うなら、面倒なメールの文面を考えるのを手伝ってもらうことも可能です（具体的な方法は 2 章と 3 章で紹介します）。なぜ、そのような高度なことが可能なのかというと、AI（人工知能）による情報の処理が行われているためです。

　ChatGPT に限らず、AI は私たちの日常生活のなかですでに広く使われています。たとえば、iPhone などに搭載されたアシスタントの機能「Siri」や、翻訳ツールの「Google 翻訳」にも AI が使われていますし、スマホカメラで撮影した写真を AI で判別し、被写体となっている植物の名前を調べたり商品を検索したりできる「Google レンズ」を使ったことがある方もいらっしゃるかもしれません。

　ChatGPT の話をする前に、AI がこれまでどのように進化してきたのかを簡単に振り返ってみましょう。AI に対して「新しい技術」という印象を持っている方も多いかもしれませんが、その歴史は意外と古く、人工知能という言葉が世界で最初に使われたのは、1956 年にアメリカのダートマスで開催された研究発表会だといわれています。

　その後、1960 年代にかけて最初の AI ブームが起こります。ただし、この当時の AI でできることは、「推論」や「探索」とよばれる一定のルールが定められた問題を解くことに限られていました。つまり、パズルや迷路のようなものであれば解くことができるものの、現実社会で課題となる

ような複雑な問題には対応できなかったのです。このことから、1970 年代には AI ブームは一旦下火になります。

図 1-A 「AI」という言葉が世界で最初に使われたのは 70 年近く前の 1956 年にさかのぼる。その後、現在までに 3 回の AI ブームが起きている

1980 年代に入ると、再度 AI が注目を集めるようになります。これが第二次 AI ブームです。この時期には、膨大な専門知識をインプットし、それをもとに必要な答えを導き出す「エキスパートシステム」の研究が進められました。医療診断をはじめとした実用的な領域での活用が期待されましたが、インプットされる情報の量が膨大になると、それらの情報を適切に維持管理することが困難になるといった課題も見えてきました。

2010 年代になると、現在につながる第三次人工知能ブームが訪れます。ここで鍵となるのが「機械学習」や、機械学習の一分野である「ディープラーニング」というしくみです。詳しくは後述しますが、これらの技術によってより複雑で高度な判断が可能となり、AI で行えることの範囲が大きく広がりました。

最初に「AI」という言葉が使われたのは 70 年近く前とされる。
3 度のブームを経て現在のレベルまで進化を続けてきた。

「ディープラーニング」でAIの性能は大幅に向上

　世間一般で「AI」とよばれているものは、そのなかで動いているしくみやできることによって、いくつかに分類することができます。まず、もっとも広義のAIといえるのが、「あらかじめ学習した情報を元に最適な動きをするプログラム」です。たとえば、障害物を避けて進む掃除ロボットや、入力された質問に対して、あらかじめ用意された想定問答集を元に答える「チャットボット」などはここに含まれます。先述の歴史の流れでいうと、第一次・第二次AIブームの時代に登場した技術を使ったものが該当します。

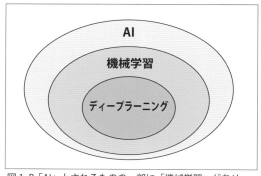

図1-B 「AI」とされるものの一部に「機械学習」があり、その手法のひとつとして「ディープラーニング」がある

　そして、より高度な判断を行えるようにしたものが、「機械学習」です。これは簡単にいうと、「あらかじめ学習した情報を元に、AI自らが判断や学習を行える」技術になります。これにより、未知のデータに対しても、すでに学んでいる情報をもとに、AI自身が「おそらくこうだろう」という判断を行うことができるのです。

　さらに、機械学習の手法のひとつである「ディープラーニング」の登場が、機械学習の精度を飛躍的に向上させました。ディープラーニングでは、人間の脳に似せたしくみで情報処理を行っており、言葉や画像が持っている特徴をAI自身で見つけることによって、従来の機械学習より複雑な判断を行うことができるようになっています。

人間の脳に似せたしくみで情報処理を行う「ディープラーニング」の登場で、AI の性能は大きく向上。複雑な判断を行えるようになった。

ChatGPT が「会話」をするしくみ

　ChatGPT を実際に使ってみると、入力された文章をまるで人間のように理解して、それに対して答えを返しているように感じます。しかし実際は、人間と同じように言葉を理解できているわけではなく、AI が人間の書いたテキストから学習することで、人間の会話に近いふるまいを再現しているに過ぎないのです。

　ChatGPT の回答の元になるのは、「GPT モデル」という大規模言語モデルです。これは、インターネット上に存在するさまざまなテキストを学習、文章の単語や文節の

図 1-C 元となる GPT モデルに対して、より適切な回答を出力するための学習を行っている

関連性を数値化して文脈を理解することで、「次に来る単語」を予測できるようにしたものです。このしくみは「トランスフォーマー」とよばれ、ChatGPT をはじめとした言語を扱う AI の性能を大きく向上させる要（かなめ）となったディープラーニングの技術です。これによって質問に対する回答としてふさわしいテキストを予測できるようになります。

　ただし、この時点では会話形式のやりとりには最適化されておらず、適切ではない回答も含まれている可能性があります。そこで ChatGPT では、より高精度な回答を出力するための学習を行っています。まず、用意された適切な質問と回答の組み合わせを学習する「教師あり学習」を行い

ます。その後、ChatGPT が出力する回答がどの程度適切なものであるか
を人がフィードバックする「報酬モデルの学習」とよばれる過程を経て、
ChatGPT 自身が自分の回答がどの程度適切かを自分で評価する「強化学
習」によって、自然で適切な回答を出力できるようになるのです。

ChatGPT は、適切な質問と回答を学習する「教師あり学習」、回答を
人がフィードバックする「報酬モデルの学習」、回答が適切かどうかを
自己評価する「強化学習」などによって高精度な回答を実現している。

ChatGPT の始め方

　ではいよいよ、実際に ChatGPT を使ってみましょう。ChatGPT には、アカウントを作成するだけで使える無料プランと月額 20 ドルの有料プラン「ChatGPT Plus」の 2 種類が用意されています。基本的な機能は無料プランで利用可能なので、まずは無料プランを使ってみることをおすすめします。

　ChatGPT の登録画面は英語なのでハードルが高そうに感じるかもしれませんが、実際に ChatGPT を使うときには、英語の画面を操作しなければならない場面はほとんどありません。以下に手順をひとつずつ説明しますので、「面倒なのは登録時だけ」と考えて進めていただければと思います。

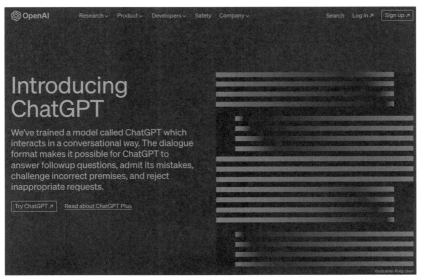

図 1-D ChatGPT の提供元、Open AI の公式サイトには、ChatGPT の技術的なしくみなどの説明も掲載されている

＜メールアドレスで登録する方法＞

図 1-E-1　ChatGPT の公式サイト（https://ope-nai.com/chatgpt）にアクセスし、右上の「Sign up」をクリックする

図 1-E-2 メールアドレスを使って登録を行う場合、「Email address」の欄にメールアドレスを入力して「Continue」ボタンをクリック

図 1-E-3 表示される「Password」欄に、ChatGPTで使用するパスワード決めて入力したら、再度「Continue」ボタンをクリック

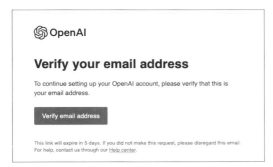

図 1-E-4 入力したアドレス宛てに確認メールが届くので、メール内の「Verify email address」ボタンをクリック

図 1-E-5 開いた画面で氏名と生年月日を入力して、「Continue」ボタンをクリック。生年月日は、1950年1月20日生まれなら「01/20/1950」のように入力

図 1-E-6 携帯電話番号（固定電話は不可）を「+81」の後ろに入力して「Send code」をクリックする。

図 1-E-7 不正対策のためのクイズを解く必要がある。解答するには「クイズを開始する」をクリック

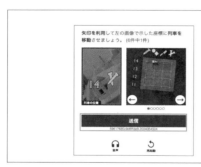

図 1-E-8 ここでは、左の画像上に示された数字とイラストの組み合わせに従い、右側の迷路でその数字とイラストが交差する位置に車を移動させている。「送信」をクリックすると解答できる

図 1-E-9 クイズに正解すると、6桁のコードを入力する画面が現れる。スマホのメッセージアプリに送られてきたコードを確認して入力

図 1-E-10 この画面が表示されたら登録は完了。左側の「ChatGPT」をクリックすれば、ChatGPT の画面に移動できる

Google アカウントなどを使った登録方法

　ここまでは、メールアドレスを使った登録方法を紹介しましたが、このほかの方法として、すでに持っている Google アカウントや Apple アカウント、マイクロソフトアカウントを使って登録することもできます。これらの方法は、既存のアカウントで使っているメールアドレスとパスワードを使うため、新たにパスワードを作る必要がない点がメリットとなります。ここでは一例として、Google アカウントを使った登録方法を紹介します。

利用可能なアカウント

・Google アカウント

・Apple ID

・マイクロソフトアカウント

＜ Google アカウントで登録する方法＞

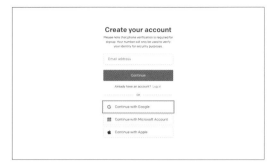

図 1-F-1 アカウント新規作成の画面で、「Continue with Google」ボタンをクリック

図 1-F-2 自分の Google アカウント（Gmail アドレス）を入力して「次へ」をクリック

図 1-F-3 Google アカウントで使っているパスワードを入力して「次へ」をクリック

　その後、電話番号を登録する画面が表示された場合は、「メールアドレスで登録する方法」と同様の手順で電話番号を入力して認証を行う。

ChatGPT の基本の使い方

アカウントを新規作成した後は、ChatGPT のメインページ（https://chat.openai.com/）からサービスを利用します。このページをブラウザのブックマーク（お気に入り）などに追加しておくと便利です。

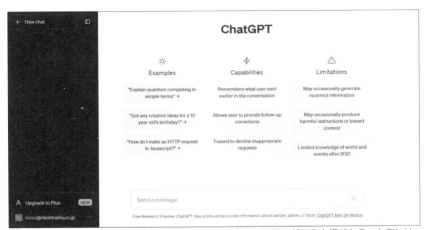

図 1-G-1 ChatGPT の画面。中央に会話が表示される部分、画面下部に入力欄がある。左側にはチャットの履歴が表示される

ChatGPT との会話を始めるには、画面下部の入力欄に質問を入力します。たとえば、「ChatGPT でできることを教えてください」などと入力して、右端の三角形の送信ボタンをクリックしてみましょう。

図 1-G-2 画面下部の入力欄に質問を入力して送信ボタンをクリック

少し待つと、画面に回答が表示されます。ChatGPTでできることが箇条書きでわかりやすくまとめられています。基本的に日本語で質問すれば日本語で回答が返ってきますが、質問によってはまれに英語で回答が出力される場合もあります。その場合は、チャットに「日本語に翻訳して」と入力すれば、日本語に翻訳したものが出力されます。

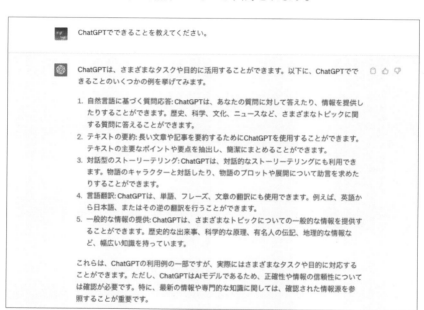

図1-G-3 質問に対する回答が自動的に生成されて表示される。出力が途中で止まった場合は「続けて」と入力しよう

　そして、一往復の質問と回答で終わりではなく、追加で質問できるのがChatGPTの大きな特徴です。たとえば、出力されたChatGPTでできることのうち、「対話型のストーリーテリング」について知りたいと思えば、「対話型のストーリーテリングのやり方を詳しく教えてください」などと質問して、具体的な手順を聞くこともできます。

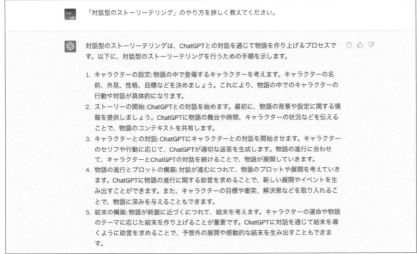

図 1-G-4 回答に対して追加で質問することが可能。質問を重ねることで内容を掘り下げていける

　同じ話題を続けるときは 1 つのチャット画面内で質問を重ねていきますが、話題を変えて新しい質問をしたいときは、新しいチャット画面を開く必要があります。その場合は、画面左上の「＋ New chat」ボタンをクリックします。また、会話の履歴は、画面左側に一覧で表示されます。

クリックすればその会話の画面に戻ることができ、過去の質問に追加で質問することも可能です。

図 1-G-5　画面左側には、チャットの履歴が表示される。新しい会話を始めるときは、左上の「＋ New chat」をクリックする

ChatGPT でできること

　人間同士の会話のような自然な言葉で指示を出せる ChatGP は、幅広い用途で役立てることができ、工夫とアイデア次第で新しい活用方法を創出することも可能です。まずは主要な 6 つの使い方を簡単に紹介します。

■文章を考える

　文章に盛り込みたい内容を箇条書きなどで指示したり、どのようなテイストにしたいかを指示することで、目的に合った文章を生成できます。ただし、出力された文章そのままでは不自然さが残ったり内容が不十分だったりすることも多いため、あくまでも下書き用と考え、人間が手直しをする前提で使うことをおすすめします。本書では、第 2 章（32 ページ）で川柳を、第 3 章（74 ページ）でメールの下書きを作成する方法を紹介しています。

■文章を要約する

　既存の文章を要約して短くまとめることも ChatGPT が得意とする作業です。「以下の文章を要約して」などの指示文とともに、元の文章を入力します。ただし、文章が長すぎると上手く要約できないいため、その場合は元の文章をいくつかに分割したうえで操作する必要があります（詳しくは第 3 章（77 ページ）参照）。

■文章の書き換えをする

　既存の文章に対して、「固めの文体にして」などと指示をしてテイスト
を変えることや、「です・ます」調から「だ・である」調に変換すること
ができます。また、ChatGPT が生成した文章に対して「もう少し読みや
すくして」と指示をして書き換えることも可能です。（詳しくは第 3 章（80
ページ）参照）

■アイデアを練る

　何かについてアイデアを練っているときにも ChatGPT が役立ってくれ
ます。出力された回答によいものがあれば、追加の質問をして掘り下げる
ことも可能です。本書では、第 2 章で食材からメニューを考える方法（52
ページ）を、第 3 章でイベントの企画を考える方法（82 ページ）を紹介
しています。

■翻訳をする

　「この英文を日本語に翻訳して」などの指示文とともに、翻訳したいテ
キストを入力することで文章の翻訳が可能です。文中の知らない単語につ
いて、「『○○』はどういう意味？」と質問したり、英文のメールを翻訳し
て内容を確認した後に、その返信文を考えたりもできます（詳しくは第 3
章（91 ページ）参照）。

■プログラム作成に使う

　ChatGPT を使ってプログラミングコードを生成したり、人間が書いた
コードに誤りがないかをチェックするために使ったりすることも可能で
す。また、プログラムがうまく動かない場合にその要因を探るのにも役立
ちます。

有料プラン「ChatGPT Plus」のメリット

　ChatGPT の基本的な機能は無料プランでも使うことができますが、有料プラン「ChatGPT Plus」に加入すると、より高精度な回答が得られた

り、有料プランだけ
の機能を使ったりで
きるようになりま
す。また、無料プラ
ンの場合、多くの人
が ChatGPT にアク
セスしているときに
利用が制限されてし
まう場合があります

図 1-H-1 有料プランでは、使用するモデルを「GPT-3.5」と「GPT-4」から選択できる

が、有料プランはこの制限がありません。さらに、応答速度が速いことや、新機能をいち早く試せるようになるといった違いもあります。

　最も違いを実感できるのは、新しい言語モデル「GPT-4」を使った場合の生成結果の精度でしょう。ChatGPT の回答の元となっている言語モデルには、無料プランの場合は 2022 年に登場した「GPT-3.5」が使われていますが、有料プランでは、より新しい「GPT-4」を選ぶことができます。

　精度の差がどの程度現れるかは質問の内容にもよりますが、GPT-3.5 では誤った答えが出力されてしまう質問に対して正しく回答できたり、生成される文章のクオリティが上がったりといった違いが生じます。ただし、GPT-4 を利用できる回数は「3 時間ごとに 50 通」に制限されている点に注意が必要です。自分から送信した会話が 3 時間以内に 50 個に達すると、最初の送信から 3 時間が経過するまでは続きを送ることができなくなっ

てしまいます。その場合は、3時間が経過して制限が解除されるのを待つ
か、制限なく使えるGPT-3.5に切り替えて最初から質問をし直す必要が
あります。

　また、ChatGPTに外部サービスの機能を追加する「プラグイン」が利
用できるのも有料プランのみとなっています。現在数百種類のプラグイン
が公開されており、必要なものを選んで追加することで、ChatGPTその
ままではできないことが可能になります（詳しくは第4章参照）。

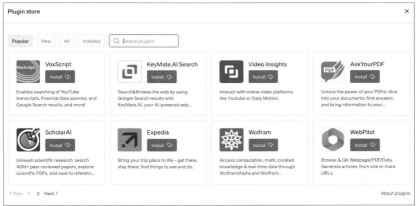

図1-H-2 有料プランでは、ChatGPTにさまざまな機能を追加できる「プラグイン」も利用可能

　有料プランの料金は月額20ドルで、ChatGPTの画面左下のメニューか
ら登録を行えます。支払い方法はクレジットカードのみとなり、1か月ご
とに請求が行われます。なお、一度有料プランに加入した後に解約する場
合は、画面右下の自分の名前をクリックすると表示されるメニューの「My
plan」→「Manage my subscription」から手続きを行えます。

＜有料プラン「ChatGPT Plus」に登録する＞

図 1-H-3 画面左下の「Upgrade to Plus」をクリック

図 1-H-4 有料プランの案内が表示される。「Upgrade plan」をクリック

図 1-H-5 クレジットカード情報を入力して、「申し込む」をクリックする

ChatGPT と Web 検索の違い

ChatGPT は 2021 年までの情報を元に学習を行っているため、そのままでは新しい話題に対応することができません。そのため、ChatGPT に最近のことについてた

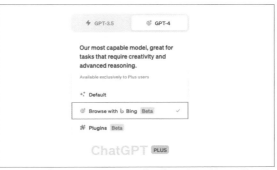

図 1-I-1 「Browse with Bing」プラグインを選ぶと、回答に最新の情報を反映できるようになる

ずねると、「私の知識は 2021 年までの情報しか持っていないため、お答えすることができません」といった、少々そっけない答えが返ってきてしまうのです。ChatGPT のリリース当初、これは大きな弱点でしたが、現在は「Browse with Bing」プラグインによって補えるようになっています。この機能を有効にすることで、ChatGPT がもともと学習していた情報に加えて、インターネットで検索した情報を回答に反映することができるようになります。本書執筆時点では利用できるのは有料プランのみですが、近日中に無料プランでも利用可能になることが発表されています。

ChatGPT は、そのままでは最新の話題について答えることができない。ただし、Web 検索の結果を反映する「Browse with Bing」プラグインを使えば補うことが可能。

※ 2023 年 7 月 17 日現在、「Browse with Bing」は一時的に提供が停止されている状態です。Open AI はこの理由を「意図しない形でコンテンツが表示されてしまうため」としています。

検索結果を反映できる機能の実力は？

　注意したいのは、「Browse with Bing」を使った場合でも Web 上の情報を正しく参照できず、誤った解答が出力されてしまう場合があるという点です。実際に検証してみましょう。Web 検索の結果を反映しない通常の ChatGPT の場合、「東京タワーのライトアップは何色ですか？」と質問すると以下のような答えが返ってきます。

指示 東京タワーのライトアップは何色ですか？

AI 私の情報は 2021 年 9 月までのもので、それ以降の情報を持っていません。そのため、現在の 2023 年 6 月 11 日の東京タワーのライトアップの色を教えることはできません。ただし、東京タワーは特別なイベントや季節に合わせてライトアップの色を変更することがあります。一般的には、通常の「ランドマークライト」は白と国際オレンジ色、特別な日の「ダイヤモンドヴェール」は白と各種カラーを使用しています。最新の情報については東京タワーの公式ウェブサイトやニュースリリースをご覧ください。

　一方で、Web の情報を反映できる「Browse with Bing」プラグインを有効にした場合は、ライトアップの種類について説明したうえで、現在の日付から現在見ることのできるライトアップのカラーを答えてくれます。

> **AI** 東京タワーのライトアップには「ランドマークライト」と「インフィニティダイヤモンドベール」という2種類のライトアップがあります。ランドマークライトは、夏季と冬季の2つのバージョンがあり、夏は銀色のライトを使用し、冬は暖かいオレンジ色のライトを使用します。一方、インフィニティダイヤモンドベールは、1年を通じて月ごとに色が変わります。
>
> 現在の日付は2023年6月10日です。したがって、インフィニティダイヤモンドベールのライトアップの色は、6月の色である「藤色」、つまりバイオレットになります。

　この答えを見ると、正しいことを教えてくれているように感じます。ところが、東京タワーの公式サイトを確認すると、月ごとに色の変わる「インフィニティ・ダイヤモンドヴェール」を見ることができるのは「毎週月曜の夜」となっています。この質問をし

図 1-I-2「Browse with Bing」を使った回答では、右上の小さな数字をクリックすると参照元のサイトが開く

た6月10日は日曜日なのでこの回答は間違っていることになります。

　おそらく、公式サイトに記載されているライトアップの説明をChatGPTが正しく読み取れなかったためと思われますが、答え方があまりにも自信満々なので、思わず信じてしまいそうになります。検索結果を反映できるからといって、必ずしも正しい答えが返ってくるとは限らないことを念頭に置いて使う必要があるのです。

調べものの「入り口」として使うのがおすすめ

　ChatGPT に聞いても正しい答えが返ってくるとは限らないのであれば、従来どおり普通に検索すれば済むようにも思えます。実際、東京タワーの公式サイトにはカレンダーから日付を選ぶとその日のライトアップを確認できるページが用意されているので、ChatGPT に聞くまでもなく、最初からこのページを見れば解決する話だったのです。

　では、検索結果を反映できる対話型生成 AI は、どんなときに使うのがよいのでしょうか？　私がおすすめしたいのは、「ざっくりとしたリサーチ」に対話型生成 AI を使い、より正確な情報を必要としている場合は、回答に表示される参照元のリンクをたどって Web ページを確認する使い方です。ChatGPT で「Browse with Bing」を有効にしているときの回答をよく見ると、文章の右肩に小さな数字が表示されています。これは回答の参照元となった Web ページのリンクで、クリックすればそのページに移動することができます。表示された参照元のなかから、企業の公式サイトや公的機関などのできるだけ信憑性の高い運営元のサイトを選ぶようにすれば、必要な情報を効率的に集めることができます。

　最終的には従来の検索と同じく Web ページの情報を確認することになりますが、その手前の段階で大まかな情報を把握できることで、予備知識をもった状態で調べものを進められるようになります。これはとくに、難しいことや自分がよく知らないことについて調べたいときには役立つはずです。

　なお、この後に紹介するマイクロソフトの「Bing AI」や、Google の「Bard」などの対話型文章生成 AI も、検索結果を回答に反映できる仕組みになっています。これらも誤った回答が出てしまう可能性があること

は、ChatGPT の「Browse with Bing」プラグインと同じなので、調べものの入り口としての使い方をするとよいでしょう。

> 「Browse with Bing」プラグインなどの検索結果を反映できる対話型生成 AI でおおまかな情報を把握し、正確な情報は参照元の Web ページを確認する。

「Bing Chat」や「Bard」は何が違うのか

対話形式でさまざまな質問に回答してくれるサービスは、ChatGPT 以外にも存在します。ChatGPT と並ぶ「3 大サービス」といえるのが、マイクロソフトの「Bing Chat」と、Google の「Bard」です。それぞれについて簡単に紹介します。

■ Bing Chat

マイクロソフトの「Bing Chat（ビング チャット）」は、ChatGPT と同じ大規模言語モデル「GPT」を使っているサービスです。つまり、元となるし

図 1-J-1 マイクロソフトの「Bing Chat」は、Microsoft Edge ブラウザで「Bing」にアクセスすると利用できる

くみには共通するものが使われており、ChatGPT とは親戚のような関係にあります。ただし、Bing Chat 独自の調整が行われているため、同じ質問をしても ChatGPT とは異なる回答結果となることも多くあります。また、

回答のスタイルを選択できたり、テキストで指示をして画像を生成できたりと、ChatGPT にはない機能が用意されている点も特徴です。

Bing Chat を利用するには、ブラウザアプリの「Microsoft Edge」から、「Bing」の検索画面（https://www.bing.com/）を開き、画面上部のタブで「チャット」を選びます。利用できるブラウザは Microsoft Edge に限られており、Google Chrome や Safari といった、他のブラウザからはアクセスできない点に注意が必要です。

第 2 章では、Bing Chat を使って AI と本の内容について議論する「読書会」を実施する方法を紹介しています。

■ Bard

ChatGPT の競合といえるサービスが、Google の対話型 AI「Bard（バード）」です。Google が開発した「LaMDA」とよばれる大規模言語モデルが使われており、

図 1-J-2 「Bard」は、Google による対話型生成 AI。Google アカウントさえ持っていれば、すぐに無料で利用可能

現在は試験運用版として公開されています。公式ページ（https://bard.google.com/）にアクセスすれば無料ですぐに利用でき、基本的な使い方は ChatGPT と同様です。

ChatGPT のほかにも、Microsoft の「Bing Chat」、Google の「Bard」といった対話型生成 AI のサービスがある。

派生サービスは目的特化

ChatGPT のしくみが外部のサービスに取り入れられるケースも増えています。ChatGPT の開発元である OpenAI では、ChatGPT の機能や元のしくみである GPT モデルを外部の事業者が利用するためのツールを開発者向けに提供しています。これを使うことで、外部の企業が自社のサービスに ChatGPT のような機能を組み込むことができるのです。これらを使って作られた派生サービスは、目的特化型となっているものが多い点が特徴です。

図 1-K-1 「チャット法律相談（α版）」は、AI に法律についての相談ができる。現在は男女関係の相談のみ対応

たとえば、法律相談サービスの弁護士ドットコムは、Web サイトからチャット形式で法律相談に回答する「チャット法律相談（α版）」を試験運用中です。また、ベネッセは、小学生向けに自由研究のアイデアを提案する AI を夏休み期間限定で公開しました。今後もさまざまなツールやサービスに、ChatGPT のような機能が組み込まれ、AI がより身近になっていくはずです。

ChatGPT のしくみが組み込まれた外部のサービスが多数登場している。特定の目的にフォーカスしたものが多い。

名称	提供元	おもな機能	料金
Notion AI	Notion Labs, Inc.	文章の要約や改善、議事録からのタスク抽出、翻訳など業務で使用するツールを集約。	10 ドル / 月（無料体験あり）
チャット法律相談（α版）	弁護士ドットコム株式会社	過去に寄せられた法律相談のデータをもとに、AI が相談内容に対応した文章を生成する。	無料（1 日 5 回まで）
スピーク	Speakeasy Labs, Inc	AI を相手に英会話の練習ができる。レベル別や状況別のレッスンが用意されている。	1800 円 / 月〜
AI チャットくん	株式会社 picon	LINE から ChatGPT を利用できるサービス。アカウントを LINE の友だちに追加して利用。	1 日 5 回まで無料、980 円 / 月
AVA Travel	AVA Intelligence 株式会社	LINE で旅行相談ができるサービス。複数の宿泊予約サイトを横断的に自動検索し、希望条件に合うホテルを提案。	無料
AI ホームズくん BETA LINE 版	株式会社 LIFULL	LINE で住まい探しの相談ができる。家賃や間取りなどの希望条件を伝えるとおすすめの物件が提案される。	無料
相棒チャットくん	合同会社 BDM	LINE から AI のキャラクターと音声で会話できるサービス。好みのキャラクターを設定することも可能。	無料
自由研究おたすけ AI	ベネッセホールディングス	小学生向けに、自由研究のアイデアやテーマを見つけるためのヒントを提案。2023 年 9 月 11 日まで提供予定。	無料

表 1-K-2 ChatGPT や GPT モデルを使ったサービスの例。さまざまなところに組み込まれている

スマホアプリから ChatGPT を使う

　ChatGPT をスマホで使う場合、PC で利用するときと同様にブラウザから ChatGPT のサイトにアクセスする方法もありますが、専用の iPhone アプリを使えばより手軽です。アプリをダウンロードしたら、PC で使っているものと同じ ChatGPT のアカウントでログインすると利用可能になり、これまでのチャットの履歴なども PC と共通のものを見ることができます。

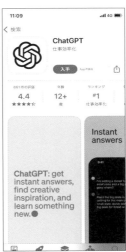

ChatGPT の iPhone アプリは、App Store から入手可能。提供元が「Open AI」となっていることを確認しよう

　なお、App Store で「ChatGPT」と検索すると、たくさんのアプリが検索結果に表示されます。正規の ChatGPT のアプリは提供元が「Open AI」となっているもののみなので、間違えないようアプリ名の下に表示されている提供元をしっかり確認したうえで入手しましょう。心配な場合は、最初にアカウントを作成したときに開いた ChatGPT の公式ページ（https://openai.com/chatgpt）にスマホからアクセスして、そのページの下部にある AppStore のアイコンをタップすれば、アプリのダウンロードページを直接開くことができます。なお、当初は iPhone 向けのみが提供されていましたが、2023 年 7 月、Android 版も提供開始されることが明らかになりました。「Google Play」で「ChatGPT」と検索することで、アプリを見つけることができます。

chapter02

ChatGPT を使ってみる

ChatGPT で川柳を作る

　ここからは実際に、ChatGPT を使ってテキストの生成を行っていきます。ルールが明確なもののほうが指示を出しやすいので、まずは「型」の決まっている川柳づくりに挑戦してみます。

　ご存じのとおり、川柳は「5・7・5」の 17 音で構成されています。まずはそういった細かい指定をせずに、大ざっぱな指示だけでどこまで作れるか試してみましょう。

※この後に続く会話は GPT-3.5 を使用しています。

指示 「スマホ」をテーマにした川柳を考えて

AI 　指先舞う　光の世界を　握るスマホ
　　瞳を奪う　小さな魔法箱　スマホの魅力
　　静寂の中　指先に秘めた　スマホの情熱
　　虚実交錯　ネットの海に　溺れるスマホ
　　一瞬の喜び　スクロールの果てに　スマホ病

　「スマホ」という単語そのものや、「指先」「ネット」「スクロール」などの関連語が入り、「スマホ」をテーマにした内容にはなっているものの、音の数が「5・7・5」になるという川柳のルールが守られていません。そこで、具体的なルールを示して改めて指示してみます。

指示 川柳は、「5音・7音・5音」で構成されます。
このルールにしたがって、「スマホ」をテーマにした川柳を考えてください。

AI 指舞いて　光舞い落ちる　情報海
瞳奪わ　小箱の魔法　スマホ魅力
指尖に秘　響き合う言　スマホ情
虚実交錯　沈むネットの　スマホ海
瞬きひとつ　果てなきスクロール　スマホ病

　最初のものに比べると音数のルールが守られているものの、まだ字余りがあります。このなかから1つを選んで細かい修正の指示を出していくことにしましょう。

指示 指舞いて　光舞い落ちる　情報海

この川柳について、修正をお願いします。
「情報海」は、「じょ/う/ほ/う/う/み」なので、6音です。これを5音の言葉に変えてください。

AI 指舞いて　光舞い落ちる　世界中

　川柳では小さい「ゅ」などの拗音は前の音とあわせて1文字として数えるので、「せかいじゅう」は正しく5音の言葉に修正されていることになります。もう少しバリエーションが欲しいので、同じ要領であと5つ

考えてもらいましょう。また、「光舞い落ちる」が字余りになっている部分については、ピンポイントで指示を出して「光舞い落ち」に変更することにします。

指示 「情報海」の部分を別の5音の言葉に変えた川柳を、あと5パターン作ってください。その際に、「光舞い落ちる」は、「光舞い落ち」に変えてください。

AI 指舞いて　光舞い落ち　思考駆ける
指舞いて　光舞い落ち　夢広がる
指舞いて　光舞い落ち　未知溢れる
指舞いて　光舞い落ち　心解き放つ
指舞いて　光舞い落ち　時間忘れる

3つ目の「指舞いて　光舞い落ち　未知溢れる」の「未知溢れる」の部分を「未知溢れ」にすれば5・7・5になり、かなり川柳らしい仕上がりになります。

指舞いて　光舞い落ち　未知溢れ

ただし、これでは「5・7・5」のリズムで言葉が並んでいるだけで、川柳として意味のある内容にはなっていません。そこで、「光舞い落ち」の部分を、途中の段階で生成されていた7音の言葉「虚実交錯」に差し替えてみます。

指舞いて　虚実交錯　未知溢れ

だいぶ「意味のありそうな雰囲気」になってきました。「真実も嘘も混じりあった、未知の情報だらけのネットの世界にスマホからアクセスして、指を舞うように動かしながら夢中で閲覧しているようす」などと、強引に意味づけすることもできそうです。ただしこれは、何らかのメッセージを込めて人間が考えた川柳とは違い、偶然できた言葉の並びを強引に「意味のありそうな言葉の並び」にしたに過ぎません。そういった意味では、人間が創造性を働かせて考えた川柳とは性質が異なるものです。

　ChatGPT などの生成 AI は、指示されたルールにしたがった生成物を大量に作り出すことを得意としています。そういった意味では、「音数に制約がある川柳を考えるにあたっての、言葉のバリエーションをたくさん作ることができる」という点で強みを発揮してくれます。今回は最終候補を5 パターンしか作っていませんが、これをもっと大量に生成し、その中から使えそうなものを選んで組み合わせれば、よりユニークで意味のある「川柳らしさ」を備えたものが生まれる可能性もあります。ChatGPT に丸投げして作品を作るのではなく、創作のプロセスの「協力者」という位置づけであれば、一定の役割を果たしてくれそうです。

　じつは、本書第 4 章でもこれと似たような使い方をしています。4 章では、ChatGPT を使いこなすための 7 つのコツの頭文字をとって「ナイスなうさぎ」というキーワードを作っています。覚えやすくするためにこのような形式にしたのですが、当初、コツを書き出して並べただけでは頭文字が意味のある言葉の並びにはなりませんでした。そこで、初期バージョンの「コツ」を ChatGPT に渡し、「これの言い替えをそれぞれ 20 パターン考えて」と指示して、出力されたものから意味のある頭文字の並びになるものを選んでいます。自力で言い換えを 20 パターンずつ考えるとしたら大変な労力です。ChatGPT が担ったのはごく一部の作業ですが、負担は大きく軽減されています。

AIに「あめんぼ あかいな…」の
"ざ行バージョン" は作れるか？

　川柳のルールは比較的シンプルですが、より制約の多い言葉遊びのルールを理解させ、そのルールに沿ったものを生成することは可能なのでしょうか？　続いては、もう少し複雑なことにチャレンジしながら、AIにできることとできないことについて考えてみたいと思います。

　題材にするのは、北原白秋の詩『五十音』です。『あめんぼの歌』とよばれることもあり、発声練習などでもおなじみの作品ですね。

　　　水馬（あめんぼ）赤いな。ア、イ、ウ、エ、オ。
　　　浮藻（うきも）に小蝦（こえび）もおよいでる。

　　　柿の木（き）、栗の木（き）。カ、キ、ク、ケ、コ。
　　　啄木鳥（きつつき）こつこつ、枯れけやき。

　　　大角豆（ささげ）に醋（す）をかけ、サ、シ、ス、セ、ソ。
　　　その魚（うお）淺瀬で刺（さ）しました。

　　　立ちましょ、喇叭（らっぱ）で、タ、チ、ツ、テ、ト。
　　　トテトテタツタと飛び立つた。

　　　蛞蝓（なめくじ）のろのろ、ナ、ニ、ヌ、ネ、ノ。
　　　納戸（なんど）にぬめって、なにねばる。

　　　　　　　　　　　　　　　　　　　　　　　（後略）

出典：ウィキソース「五十音（北原白秋）」

今回は、この『五十音』の形式を踏襲しながら、元の詩にはない「ざ行バージョン」を作ってみたいと思います。まずは、「北原白秋の『五十音』のような詩」だけで通じるか試してみます。

※この後に続く会話はGPT-4を使用しています。

指示 北原白秋の『五十音』のような詩で、「ざ」から始まるものを
考えてください。

AI
ざわめく街の
ずれてゆく影
ぜんぶ忘れて
ぞんざいな心

そぞろ歩きの
たそがれどきに
だんだん消える
でんせんの光

どこか遠くへ
ながれる雲を
にがい涙と
ぬすみ笑い　　　（後略）

「北原白秋の『五十音』」という指示は完全に無視した、「"ざ"で始まる詩」
を出してくれました。80年代シティポップの香りがします。1ブロック
目の各行の冒頭が「ざ・ず・ぜ・ぞ」になっているので、「日本語の五十

音を生かした作品」だということは一応認識しているのかもしれません。
これはこれで素敵ですが、今回のミッションはシティポップではなく北原
白秋です。

■サンプルを渡してみる

　作品名だけで伝わらないなら本文を直接読んでもらおうと、『五十音』
の一部をサンプルとして渡してみました。

> **指示** 下記サンプルのような日本語の詩を作りたいと思っています。
> 「ざ」で始まるパラグラフを5パターン考えてください。
>
> ＃サンプル
> あめんぼ　あかいな　あいうえお
> うきもに　こえびも　およいでる
>
> かきのき　くりのき　かきくけこ
> きつつき　こつこつ　かれけやき
>
> ささげに　すをかけ　さしすせそ
> そのうお　あさせで　さしました

> **AI** ざぶんと　ずいぶん　ざいざい
> ずぐろい　ざるあたり　ずもうじゃ
>
> ざんざい　ずんだもち　ざんずん
> ずぼんや　ずぼん　ずんずんぼ

ざくろの　ずぼらな　ざくざく
ずかんが　ずうずうしい　ずつきもの

ざぶとん　ずんぐり　ざらざら
ずぼらや　ずぼらで　ざっとある

ざんげし　ずみながし　ざくざく
ずむしろ　ずんぐり　ずっぷりん

　最初の文字は「ざ」、その他の単語の1文字目は「ざ行のいずれかの文字」
というルールは理解しているようですが、文字数がめちゃくちゃです。

■ルールをきっちり指定する

　ざっくりと「こんな感じで」という指示だけでは厳しそうなので、この
詩のルールを論理的にきっちり教えることにします。文字数とどの位置に
どんな文字がくるのかは、下記のように指定してみました。ひらがなの文
字をアルファベットに置き換え、「同じアルファベットの箇所には、同じ
ルールの文字が入る」という条件を定めています。

指示 # 文字数と文字種の条件
　使用する文字数および文字種は下記のとおりです。
　annn mnnn aiueo
　mnnn mnnn tbbbb

　aiueo = 五十音の各行

a = 各行の冒頭の文字

m および t = a,i,u,e,o のいずれかの文字

n および b= 任意の平仮名

さらに、このルールに従った場合の完成形も示しておきます。

指示 # サンプル

たとえば、

a = か

aiueo = かきくけこ

の場合、出力されるテキストは下記のようになります。

かきのき　くりのき　かきくけこ

きつつき　こつこつ　かれけやき

以上のルールを踏まえて、ざ行の詩を生成するようにお願いしてみます。

指示 # お願いしたいこと

以下の場合のテキストを 5 パターン出力してください。

a = ざ

aiueo = ざじずぜぞ

　ここまで細かく指示すれば、『五十音』の形式を再現できそうです。結
果を見てみましょう。

AI　ざんざい　ぜんざい　ざじずぜぞ
じんじか　ずつぼと　ぜりぞうむ

ざわざわ　ざかざま　ざじずぜぞ
じょろに　ずんずる　ぜっぞくらえ

ざつだん　ずばらし　ざじずぜぞ
じけんず　ぜにたけ　ぞろぞろと

ざんげる　じきたく　ざじずぜぞ
ずぼんち　ぜんぼく　ぞうぞうせ

ざくざく　じじゅうか　ざじずぜぞ
じつじか　ずいふん　ぞんびぞう

　文字数と文字の種類はおおむね指示どおりになりましたが、意味のない文字の羅列になっています。生成される言葉の内容については指示していなかったので、仕方のないことかもしれません。

■使える品詞を指定する

　これでは詩として成立しないので、意味のある単語を使う指示を加えたいと思います。

　とはいえ、「意味のある単語を使ってください」だけでは漠然としているので、使える品詞を指定することにします。

　「あめんぼ」「あかいな」「うきもに」「こえびも」にあたる4文字の部分は、名詞・動詞・形容詞・形容動詞のどれか、「およいでる」にあたる5文字の部分はそれに加えて助詞と助動詞も使えるルールにしてみました。

指示 # 内容の条件

　"annn" "mnnn" "tbbbb" は、それぞれ必ず日本語として意味のある単語としてください。

　"annn" および "mnnn" で使用できる品詞は、名詞、動詞、形容詞、形容動詞のいずれかです。

　"tbbbb" で使用できる品詞は、名詞、動詞、形容詞、形容動詞のいずれか、もしくは、それらと助詞または助動詞を組みあわせたものです。

AI ざぶとん　ずぼんな　ざじずぜぞ
　じんぎり　ぜりふも　ぞうきでる

　ざるそば　ずっしり　ざじずぜぞ
　じわじわ　ぜんざい　ぞくぞくと

　ざんげる　じゃんぼ　ざじずぜぞ

> ずんだん　ぜんぶに　ぞろぞろい
>
> ざんこく　じょうず　ざじずぜぞ
> ずぶぬれ　ぜいたく　ぞんざいに
>
> ざっくり　じんじゅ　ざじずぜぞ
> ずぼらで　ぜったい　ぞんびにな

　まだ意味のない文字列も出ていますが、だいぶ日本語として通じる単語
が増えてきました。

■全体に意味をもたせる

　それでもまだ、「リズミカルな言葉を並べたもの」に過ぎず、詩といえ
るレベルには達していないように感じます。違和感を言語化するとした
ら、「単語自体に意味があっても、単語同士に関連性がないために詩に見
えない」といったところでしょうか。これを AI にどう伝えるか難しいと
ころですが、具体例を示しながら、「意味の近い単語」を選ぶように指示
してみました。

補足条件

もし可能であれば、"annn" "mnnn" "tbbbb" のうちいずれか

2つ以上は、「意味の近い単語」を使用してください。

「意味の近い単語」とは、たとえば下記のようなものを指します。

「あさがお」と「ひまわり」：どちらも植物

「こなゆき」と「きたかぜ」：どちらも冬に関する言葉

「きらきら」と「ぴかぴか」：どちらも似た状態を表す擬態語

AI パターン1:

ざんばら　じめじめ　ざじずぜぞ

ずんだも　じょうふく　ぞくぞくり

パターン2:

ざくろは　じゃくなん　ざじずぜぞ

ずんだの　じゅんびを　ぞんざいに

パターン3:

ざっそう　じょじょに　ざじずぜぞ

ずぼらな　ぜにっこ　ぞうりゃく

パターン4:

ざくざく　じょうろに　ざじずぜぞ

ずつぼに　じんかん　ぞうきばこ

パターン5：
ざいりき　じゅんばん　ざじずぜぞ
ずもうや　ぜつえん　ぞくぞくと

　だいぶ改善されてきました。とくにパターン2は、「ざくろ」「ずんだ」と、食べ物に関する単語が2つ含まれていることに加えて、「じゅんびを／ぞんざいに」と、日本語の文章として意味の通る言葉の並びがあることで、だいぶ「意味がありそうな感じ」に仕上がっています。

■不自然な部分を修正指示する

　あとは意味の通っていない部分をピンポイントで指示して直してもらうことにしましょう。今回は、「ぞうきばこ→象の形の木箱」のように、拡大解釈すれば意味の通りそうなものについては目をつぶり、どう考えても不自然な箇所だけを修正指示します。

指示　以下の箇所について、修正をお願いします。
　　　それ以外の部分は現状のままとしてください。

　　　パターン1：
　　　「ずんだも」「じょうふく」「ぞくぞくり」はいずれも意味がわかりません。意味のある日本語に書き換えてください。

　　　パターン2：
　　　「じゃくなん」を意味のある日本語に書き換えてください。

パターン３：

「ぞうりゃく」を意味のある日本語に書き換えてください。

パターン４：

「ずつぼに」を意味のある日本語に書き換えてください。

パターン５：

「ずもうや」を意味のある日本語に書き換えてください。

AI パターン 1：

ざんばら　じめじめ　ざじずぜぞ
ずんだで　じょうもん　ぞくぞくと

パターン 2：

ざくろは　じゃがいも　ざじずぜぞ
ずんだの　じゅんびを　ぞんざいに

パターン 3：

ざっそう　じょじょに　ざじずぜぞ
ずぼらな　ぜにっこ　ぞうりでる

パターン 4：

ざくざく　じょうろに　ざじずぜぞ
ずもうの　じんかん　ぞうきばこ

パターン 5:

ざいりき　じゅんばん　ざじずぜぞ

ずぼらや　ぜつえん　ぞくぞくと

　最初のものに比べると、ずいぶん整った印象です。ここからさらに不自
然な部分を指摘して修正指示を重ねることでもう少しブラッシュアップ
できるかもしれませんが、今回はひとまず生成はここまでにしたいと思い
ます。

「AI が理解できなかったもの」の正体はなにか

　第 1 章で説明したとおり、ChatGPT などの生成 AI が文章を生成できる
のは、「次に来る単語を予測する」というしくみによるものです。つまり
今回の詩も、求めていたものにある程度近づけられたとはいえ、それは
ChatGPT が『五十音』の詩を理解したからではなく、あくまでも「ルー
ルで縛った結果」に過ぎないのです。一方で、ある程度日本語を使い慣れ
ている人間に元の『五十音』の詩を見せて、「これの " ざ行 " バージョン
を書いてください」といえば、多くの人が細かい説明がなくても同じよう
な形式とテイストの詩を作ることができるのではないでしょうか。そう
いった意味で、少なくとも日本語においては、「言葉遊びのルールを理解
して、それを模倣する」という点では、「人間より世話のやける段階」と
いえそうです。

　そして、それ以上に「ChatGPT の苦手なところ」が露呈したのが、後
半で指示を試みた「単なる単語の羅列ではなく、詩として意味のあるもの
にする」という部分です。「関連する単語を使用する」という点について
は、指示文に含めるサンプルを増やすなどの工夫をすることで、もう少し

精度を上げることができるかもしれません。しかし、それでも元の『五十音』がもつ面白さを再現することはできないように感じました。

　ここで改めて、元の『五十音』の詩を見てみましょう。実は元の詩も、そこまで「意味の通った内容」ではないのです。たとえば"さ行"などは、「一体どんな状況なの？」という感じです。

> 　　大角豆（ささげ）に醋（す）をかけ、サ、シ、ス、セ、ソ。
> 　　その魚（うお）浅瀬で刺（さ）しました。

　文字として書かれていることだけを読めば、1行目と2行目はまったく別の内容のようにも取れます。

- 1行目：大角豆（お赤飯に入っている赤い豆）に酢をかけている光景の描写
- 2行目：魚を（海か川の）浅瀬で突いて捕獲したことを報告

　それでも、人間がこれを読んで「まったくの支離滅裂な内容」ではなく、何かしら意味のあるものとして受け取ることができるのは、この2行を「想像力」でつないでいるからではないでしょうか。たとえば私はこれを読むと、「食卓に大角豆に酢をかけて作った料理と焼き魚が並んでいて、子どもが『この魚は僕が浅瀬で突いて捕ってきたよ』と家族に報告している」光景が浮かびます。

　もちろん、「そんな光景はまったく浮かばない」という方もいるでしょうし、まったく別の光景をイメージしている方、何もイメージできないという方など人それぞれだと思います。でも、そんな「勝手な想像力を働かせることのできる余地」も、詩の楽しさのうちではないでしょうか。

図 2-A 画像生成 AI で生成した絵を画像編集アプリで修正して作った「大角豆に酢をかけ〜」のイメージ

　今回の試みでは、そんな楽しさまで再現した詩を作ることをめざしたのですが、言葉の意味を理解していない AI に、それを伝えるのは非常に難しいと感じました。むしろ、今回最終的に出力された程度のものを大量に生成して、そこから先は人間が選定したり組み合わせたりしていくほうが現実的かもしれません。

　ここまでの試行錯誤を踏まえると、ChatGPT などの生成 AI を使ううえで大切なのは次の 3 点ということになります。

・AI にどこまでやってもらうかを決める

・望んだ結果が得られるように的確に指示する

・AI が出してきた結果に、"人間だからできること" をプラスする

「丸投げ」ではなく「協業」で使う

　今回、ChatGPTに意図した形式で詩を書いてもらうために、「『五十音』がどういう構造になっているのか」を改めてじっくり分析して言語化しましたが、けっこうな労力を使います。AIに的確な指示を出すためには、人間の側に「扱っているものに対する知識と理解」が求められますし、そのうえで、「AIにやってもらったほうがメリットがあること」「自分でやったほうが良い結果が得られること」を切り分けて、適切な指示を出すことが必要です。そういう意味では、「自分は知識ゼロのことを、AIに丸投しして全部やってもらう」という使い方は、少なくとも現時点では厳しいだろうなと感じています。「丸投げ」ではなく「協業」を前提に活用するのが最適解といえるでしょう。

　最後に、今回AIが生成したテキストを組みあわせたうえで一部の言葉を変えて仕上げた、「『五十音』のざ行バージョン」を2本紹介します。

　　　ざんねん　じんせい　ざじずぜぞ

　　　ずさんな　じゅんびで　ぜにおとす

　　　（残念人生　ざじずぜぞ　杜撰な準備で　銭落とす）

　　　ざんぎり　ざむらい　ざじずぜぞ

　　　ざるそば　ずっしり　ぜいたくに

　　　（散切り　侍　ざじずぜぞ　ざる蕎麦　ずっしり　贅沢に）

　どうでしょうか？　元の『五十音』の雰囲気に少し近いものになったのではないかと思っています。1本目は「準備がいいかげん（ずさん）なた

めに失敗をしてお金を失ってばかりいる、ちょっと残念な人」、2 本目は「明治維新で散切り頭になった武士が、ずっしりと重い大盛りのざる蕎麦を食べている姿」というイメージです。ルールに準じたおもしろい言葉を AIに出してもらい、そこから意味のある組み合わせのものを選んだり、言葉を入れ替えて意味を持たせる作業は人間が行っているので、まさに「AIとの協業」ということになります。

AI に的確な指示を出すには、人間側に生成するものに対する理解が求められる。知識ゼロのものを丸投げして作ってもらうのではなく、「協業」することが大切。

冷蔵庫の食材で作れるものを考えてもらう

　日常生活で役に立つ活用方法も試してみましょう。すぐに実践できるものとしておすすめなのが、冷蔵庫の食材から料理のレシピを考えてもらう使い方です。

■食材や条件を伝える

　今ある食材を書き出すだけでなく、そのなかで優先的に使い切りたい食材を指定したり、調理方法や調理時間の条件を定めたりすることもできます。

※この後に続く会話は GPT-3.5 を使用しています。

指示 冷蔵庫の食材を使って、2人前の夕食のメニューを考えてください。使える食材と条件は以下のとおりです。

使える食材
鶏もも肉、豚バラ肉、卵、キャベツ、キュウリ、しめじ、ほうれん草、溶けるチーズ、豆腐、油揚げ

使える調味料
醤油、味噌、塩など、日本の家庭で一般によく使われる調味料が使用可能です。

食材使用の優先順位
以下の食材を優先的に使ってください。

鶏もも肉、ほうれん草

調理時間の条件
20 分以内で作れるものを考えてください。

調理方法の条件
油の多い調理法は避けてください。

AI 以下は、冷蔵庫の食材を使用して 20 分以内で作れる夕食メ
ニューの例です。

メニュー：鶏もも肉とほうれん草の味噌炒め

材料：
・鶏もも肉：200g
・ほうれん草：1 束
・キャベツ：適量
・キュウリ：1 本
・しめじ：適量
・溶けるチーズ：適量
・豆腐：半丁
・油揚げ：1 枚
・醤油：大さじ 2
・味噌：大さじ 1
・塩：少々

手順：

1. 鶏もも肉を食べやすい大きさに切り、ほうれん草は根元を切り落として洗い、キャベツはざく切りにします。キュウリは薄くスライスし、しめじは房から分けて洗います。
2. 鍋に少量の水を沸かし、ほうれん草をさっと茹でて水気を絞ります。
3. 別のフライパンに少量の油を熱し、鶏もも肉を炒めます。
4. 鶏もも肉がほぼ火が通ったら、キャベツ、キュウリ、しめじを加えてさらに炒めます。
5. 野菜がしんなりとしたら、醤油を加えて全体に絡めます。
6. 最後に味噌を加えて炒め、味噌が溶けたらほうれん草を加えてさっと炒め合わせ、溶けるチーズをのせます。
7. 器に盛り付けて完成です。

このメニューでは、油の多い調理法を避けつつ、鶏もも肉とほうれん草を活用してヘルシーで栄養豊富な一品を作ることができます。調理時間も 20 分以内で済むので、忙しい日の夕食にもぴったりです。お好みでご飯やスープと一緒にお楽しみください。

料理には使っていない豆腐や油揚げが材料として記載されているなど、やや不自然なところはありますが、「鶏もも肉とほうれん草を優先的に使う」「油の多い調理法は避ける」などの条件は守られています。

■「お弁当」と指示すれば昼食向きのレシピに

　続いて、食材などの条件はそのままに、「お弁当のメニュー」を考えて
もらいました。

指示 同じ食材で、お弁当のメニューを考えてください。

AI メニュー：鶏もも肉とほうれん草の照り焼き弁当

　材料：
・鶏もも肉：150g
・ほうれん草：1/2 束
・塩：少々
・ごま油：小さじ 1
・ごま：適量
・白ごはん：お好みの量

　照り焼きのたれの材料：
・醤油：大さじ 2
・みりん：大さじ 2
・砂糖：大さじ 1
・にんにく：1 片（みじん切り）
・しょうが：少し（すりおろし）

手順：

1. 鶏もも肉を一口大に切ります。
2. ほうれん草を洗って根元を切り落とし、ざく切りにします。
3. 照り焼きのたれを作ります。小鍋に醤油、みりん、砂糖、にんにく、しょうがを入れて混ぜ、中火にかけます。沸騰したら弱火にして、とろみがつくまで煮詰めます。
4. 別のフライパンにごま油を熱し、鶏もも肉を炒めます。
5. 鶏もも肉がほぼ火が通ったら、ほうれん草を加えてさらに炒めます。
6. 照り焼きのたれを加えて全体に絡めます。強火にして照り焼きに仕上げます。
7. 白ごはんをお弁当箱に詰め、照り焼き鶏もも肉とほうれん草をのせます。
8. ごまをふりかけて完成です。

この照り焼き弁当は、鶏もも肉とほうれん草の照り焼きをメインにした栄養バランスの良いお弁当です。ごまの風味がアクセントとなり、ご飯との相性も良いです。ごま油で炒めることで風味が増し、お弁当でも美味しくいただけます。お好みでおかずや漬物を追加するとさらに充実したお弁当になります。ぜひお楽しみください。

ここで注目したいのは、調味料に砂糖やみりんが使われている点です。今回の指示文では、使用可能な調味料として醤油、味噌、塩を例に挙げたうえで「日本の家庭で一般によく使われる調味料」と指定しています。つまり、「日本の家庭でよく使われる調味料には砂糖やみりんが含まれる」という判断が、人間が指示することなく行われているのです。家にある調味料をすべて書き出さなくても、ある程度は「察してくれる」のがChatGPT の賢いところです。

■追加質問で自分に合ったレシピに変える

　さらに、もし自宅にみりんがなかった場合でも、その対応方法をChatGPT に聞くことができます。上記の回答に対して「みりんがありません。どうしたらいい？」と追加質問をしたところ、代替案として塩焼きのレシピを教えてくれました。

指示　みりんがありません。どうしたらいい？

AI　もしみりんが手元にない場合、以下の代替案で鶏もも肉とほうれん草の照り焼き弁当を作ることができます。

代替案：鶏もも肉とほうれん草の塩焼き弁当
（中略・味付け以外はほぼ同内容）

この塩焼き弁当は、シンプルで素材の味を活かしたメニューです。みりんの代わりに塩を使用していますので、しっかりと焼き上げた鶏もも肉とほうれん草の風味を楽しむことができます。ごま油とごまも加えて、香りと風味をプラスしています。

レシピはほぼ同じなので掲載を省略していますが、照り焼きのたれの代わりに塩をかけるだけというシンプルな味付け。さすがに少し物足りない気がするので、自宅にある調味料を具体的に挙げたうえで、別の味付けを考えるように依頼してみました。

指示 塩焼きだと味付けが物足りないので、もっとボリュームのある代替の味付けを考えてください。調味料は以下のものがあります。
醤油、めんつゆ、ウスターソース、ケチャップ、マヨネーズ

AI もし、みりんがない代わりの味付けを考える場合、以下の代替案で鶏もも肉とほうれん草のボリュームのある照り焼き弁当を作ることができます。

代替案：鶏もも肉とほうれん草のソース照り焼き弁当

材料：
・鶏もも肉：150g
・ほうれん草：1/2 束
・醤油：大さじ 2
・ウスターソース：小さじ 1
・ケチャップ：小さじ 1
・マヨネーズ：小さじ 1

・ごま油 : 小さじ 1

・ごま : 適量

・白ごはん : お好みの量

手順 :

1．鶏もも肉を一口大に切ります。

2．ほうれん草を洗って根元を切り落とし、ざく切りにします。

3．フライパンにごま油を熱し、鶏もも肉を焼きます。中火から強火で両面をしっかりと焼きます。

4．鶏もも肉がほぼ火が通ったら、ほうれん草を加えてさらに炒めます。ほうれん草がしんなりするまで炒めます。

5．醤油、ウスターソース、ケチャップ、マヨネーズを混ぜたソースを鶏もも肉とほうれん草に加え、全体に絡めます。

6．ごまをふりかけて完成です。

このソース照り焼き弁当は、醤油、ウスターソース、ケチャップ、マヨネーズを組み合わせたソースで味付けされています。これにより、ボリューム感とコクのある味わいを楽しむことができます。ごま油とごまも加えて、風味をプラスしています。お好みでおかずや漬物を追加するとさらに充実したお弁当になります。ぜひお試しください。

本やネットで料理のレシピを調べた場合、そこに記載されている調味料で足りないものがあったり、味付けが好みでないと思った場合でも、自分でアレンジを考えるか別のレシピを探すしかありません。対話形式で追加質問のできる ChatGPT の場合、生成されたレシピに対してアレンジしたい部分を伝えることで代替案を出すことができるので、「自分専用にカスタマイズされたレシピ」を作り出すことができます。

「なにをしたいか」を明確に。
ときには結果を疑うことも大切

　ねらいどおりのレシピを生成するためのポイントとなるのが、「どんな条件で、なにをしたいか」を明確にした指示です。たとえば今回は、食材だけでなく調理方法や調理時間、作る料理が夕食用なのかお弁当用なのかといった具体的な要望を指示文に入れました。もしこれが、「簡単に作れるレシピを考えて」などの大ざっぱな指示だと、求めているものから離れたレシピが出てくる可能性が高くなります。

　そしてもうひとつ重要なのが、生成されたレシピを鵜呑みにしないことです。たとえば一般的な味噌炒めでは、味付けに使う味噌を酒やみりんで溶いてから食材とあわせますが、今回最初に生成した「鶏もも肉とほうれん草の味噌炒め」のレシピでは、味噌を固まりのままフライパンに投入するように読める手順をとっています。おそらくこれでは味噌が溶けずに焦げ付いてしまい、うまく作ることができないと思われます。ChatGPTが教えてくれるレシピは、あくまでもネット上の膨大なデータを学習して生成されたものであり、料理の知識をもった人間がきちんと考えて作ったものではありません。出てきたものに対して、一度「本当にこれで大丈夫かな？」と疑ってみることも必要になります。そういった意味では、

ある程度予備知識を持ったうえで使うのが適しているかもしれません。今回のケースでも、「味噌炒めの味噌は溶いてから使う」という知識があれば違和感に気づくことができますが、それを知らない料理初心者なら、そのまま作ってしまうのではないでしょうか。

図 2-B　ChatGPT に求めていることを伝え、生成結果に対して適切かどうかの判断を行う

　先述の『五十音』の詩を使った試みの項でも触れたとおり、意図した通りの生成結果を得るには、ChatGPT に丸投げするのではなく、使う側が求めていることを明確に伝え、さらにその結果が適切かどうかの判断を行う必要があるのです。

ねらいどおりのレシピを生成するには、どんな条件で何をしたいのかを明確に伝えることが大切。また、生成されたレシピが正しいか疑う視点も必要になる。

Bing Chat を使って AI と読書会をする

　ここまでは、ChatGPT を使った生成を行ってきましたが、1 章で簡単に紹介したマイクロソフトの「Bing Chat」も、楽しい使い方のできる対話型生成 AI です。同じ質問をしても ChatGPT とは異なる回答が返ってくるケースも多く、傾向としては、日本の文学作品などに関する質問は Bing Chat のほうが正確に答えられるケースが多い印象です。

　たとえば、作品のタイトルをあげて「どんなストーリーですか？」と質問した場合、ChatGPT では、Web の情報を参照できる「Browse with Bing」プラグインを有効にしていても、多くのケースで実際のストーリーとはかけ離れた誤った内容が返ってきます。それに対して Bing Chat では、3 種類用意されている「会話のスタイル」に「より厳密に」を選ぶことで、ネット上に全文が掲載されているパブリックドメイン（著作権切れ）の作品であれば、正しい内容を回答できるケースが多い傾向にあります。

図 2-C　ChatGPT に求めていることを伝え、生成結果に対して適切かどうかの判断を行う

　AI が作品の内容を知っているということは、その作品についての会話が可能だということ。つまり、擬似的な「読書会」のようなこともできるのです。そこで今回は、新美南吉の『ごんぎつね』を題材に、Bing Chat と議論してみました。

■解釈の分かれるシーンについて聞いてみる

　『ごんぎつね』のラストシーンに対して、ごんを「かわいそう」と思う
人もいれば、「さんざん悪戯をしてきたのだから自業自得だ」と受け取る
人もいるはずです。そんな、人間が読んだ場合に解釈の分かれるシーンに
ついて質問してみました。

> 指示 ごんが兵十に疑われて撃たれてしまったのは、悪戯ばかりしてい
> た過去があったためです。ごんが撃たれたのは自業自得といえる
> のでしょうか?

> AI ごんは確かに悪戯ばかりして村人を困らせていました。しかし、
> 彼は自分の過ちを認め、兵十に対して償いをしようと努力して
> いました。兵十がごんを撃ったのは、彼がごんが自分のために
> してくれていたことを知らなかったからです。ごんが撃たれた
> ことは、彼が過去に悪戯をしていたことと関係があるかもしれ
> ませんが、彼が撃たれたことは彼自身の責任だけではありませ
> ん。物語は、誤解や偏見、そして人々がお互いに理解し合おう
> とすることの大切さを教えてくれます。

■「もし○○だったら」を考えてもらう

　続いて、登場人物の心情を深掘りする目的で、作中には描かれていない
「もし、ごんが人間の言葉を話すことができたら」を想定して展開を考え
てもらいました。

もし、ごんが人間の言葉を話すことができたとしたら、兵十にどのように謝罪をするのがよかったのでしょうか？ごんのセリフで教えてください。

AI もし、ごんが人間の言葉を話すことができたとしたら、彼は兵十に対して次のように謝罪することができたかもしれません。

「兵十さん、私があの日川であなたが捕った魚やウナギを逃がしてしまったのは私です。あのときは悪戯をしてしまいましたが、後であなたのお母さんの葬列を見て、あの魚はお母さんのために用意していたものだと知りました。本当に申し訳ありません。私はあなたに償いをしたいと思っています。これからも栗や松茸を届けさせてください。」

このように、ごんが自分がしたことを正直に告白し、謝罪することで、兵十はごんが自分に償いをしようとしていることを理解することができたかもしれません。

　チャットの回答スタイルで「より厳密に」を選んでいる影響もあるかもしれませんが、「正統派」「お利口さん」という印象の答えです。もうひとつ「もし、○○だったら」を重ねて、ごんの気持ちを想像するように質問してみました。

指示 もしそれに対して兵十が、「償いの栗や松茸なんていらない。お前の顔なんて見たくない。もう私の前に姿を見せないでくれ」と言ったら、ごんはどんな気持ちになると思いますか？

AI もし兵十がそのように言ったら、ごんはとても悲しい気持ちになるでしょう。彼は自分がした過ちを認め、兵十に対して償いをしようと努力していました。しかし、兵十がそのように言ったら、ごんは自分の努力が報われなかったと感じるかもしれません。それでも、ごんは兵十の気持ちを尊重し、彼の望むようにすることができるかもしれません。

　さらに、Bing Chat が回答した「ごんの気持ち」に対して、どのような行動を取ることができるのかを質問しました。

指示 償いをしたい気持ちがあるのに直接償うことができないのは悲しいですね。そのときに、ごんが兵十や、亡くなった兵十のお母さんのためにできることはありますか？

AI ごんが兵十や亡くなった兵十のお母さんのためにできることは、彼が自分の力で償いをすることです。ごんは、兵十に対して栗や松茸を届けることで、彼が自分の過ちを認め、償いをしようとしていることを示しています。もし兵十がそのような償いを受け入れなかったとしても、ごんは自分ができることをし続けることができます。また、ごんは村人たちに対しても悪戯をしないようにすることで、彼が変わろうとしていることを示すことができます。

この回答では、償いの方法として「兵十に対して栗や松茸を届けること」を挙げた後に、「もし兵十がそのような償いを受け入れなかったとしても〜」と続けています。これは、その前に「兵十が償いを拒否したら」と仮定した会話をしたことを受けての回答だと考えられます。同じチャット内であれば、それまでの会話の内容を反映した回答ができるからこそ、このような「連続した会話での議論」が可能になるのです。

■別の視点から考えてもらう

　ここまでは、ごんの視点に立った議論をしてきましたが、今後は視点を変えて「兵十の気持ち」について質問してみました。作中には描かれていない「ごんに謝罪を受けた」という仮定の状況に対しての質問です。

> 指示 兵十の立場から考えた場合、ごんに謝罪を受けたけれど、どうしても許すことができないとしたら、どうやって自分の感情と折り合いをつければいいのでしょう？

> AI 兵十がごんに謝罪を受けたけれど、どうしても許すことができない場合、彼は自分の感情と向き合い、それを受け入れることが大切です。彼は、ごんに対する怒りや悲しみなどの感情を抱いているかもしれません。それらの感情は、自然なものであり、否定する必要はありません。彼は、自分の感情を受け入れ、それを表現することができます。また、彼はごんに対して、自分が許すことができないと伝えることができます。お互いに話し合い、お互いの気持ちを尊重し合うことで、和解することができるかもしれません。

『ごんぎつね』のストーリーに直接関係する内容に言及されていないことから、一般的な「謝罪されても許すことができない場合の対処法」について回答している可能性もありそうですが、なかなか説得力のある回答です。

■登場人物同士で往復書簡を書いてもらう

最後に、それぞれが相手に対して抱いている感情を前提条件として指定したうえで、ごんと兵十の往復書簡の形で手紙の文面を考えてもらいました。

指示 ごんと兵十が和解するためには、お互いにどんな言葉をかければよかったのでしょうか？「ごんから兵十への手紙」と、「それに対する兵十からごんへの返信」の形で、全部で6通の往復書簡を書いてください。

最初の時点でお互いが相手に対して抱いている感情は、以下のとおりです。

ごん：自分の過去の行動を本当に反省している。兵十に謝罪して和解したい。

兵十：ごんのせいで母親に鰻を食べさせることができなかったので、ごんを恨んでいる。絶対に許すことができないと思っている。

A1 ごんから兵十への手紙 1:

兵十さんへ、

私はあの日、川であなたが捕った魚やウナギを逃がしてしまいました。あのときは悪戯をしてしまい、本当に申し訳ありませんでした。後であなたのお母さんの葬列を見て、あの魚はお母さんのために用意していたものだと知りました。私はあなたに償いをしたいと思っています。どうか私を許してください。

ごんより

兵十からごんへの返信 1:

ごんさんへ、

あなたからの手紙を受け取りました。私はあなたが私に謝罪してくれていることを知りました。しかし、私はあなたが私の母親に鰻を食べさせることができなかったことを許すことができません。私はあなたを恨んでいます。

兵十より

ごんから兵十への手紙 2:

兵十さんへ、

私はあなたからの手紙を受け取りました。私はあなたが私を許してくれないことを知りました。私は本当に申し訳ありませんでした。私はこれからも、あなたに償いをし続けます。また、村人たちに対しても悪戯をしないようにします。私は変わろうとしています。

ごんより

> 兵十からごんへの返信 2:
> ごんさんへ、
> 私もあなたからの手紙を受け取りました。私はあなたが変わろ
> うとしていることを認めます。しかし、私はまだあなたを許す
> ことができません。私は時間が必要です。
> 兵十より　　　　　　　　　　　　　　　　　　（以下略）

　「ごんは兵十と和解したいと考えている」「兵十はごんを許すことができ
ない」という前提を踏まえて、和解に向けたやりとりが行われています。
ちなみに 3 通目の兵十の手紙には「あなたに対する気持ちが変わってき
ています」との記述があり、謝罪を受けて兵十の心情が変化していくよう
すも表現されています。

「考えを深めるツール」として役立つ

　作中に描かれていない場面を想像するのは物語を読む楽しさのひとつで
すし、「このシーンについてどう思う？」と、誰かの解釈を聞くことも本
について語る醍醐味です。もちろん、その議論は同じ作品の好きな人間同
士で行うほうが楽しいとは思いますが、AI が相手であっても、ここまで
高い精度で実現できるようになっているのです。AI に考えてもらった回
答に対して、「そんな受け取り方もあるのか」「いや、自分はそうは思わ
ない」などと考えを深めていけば、自分の価値観を再確認することにもつ
ながるはずです。

　Bing Chat や ChatGPT などのツールが、子どもの読書感想文や学生の
レポートに不正使用されることを懸念する声も耳にします。もちろん、成

果物そのものを丸ごと AI に作ってもらうことは問題ですが、AI とのやりとりを入り口として、そこからさらに自分の頭で考えていくような使い方であれば、作品への理解を深める手段として役立てることができることができるのではないでしょうか。

　AI と文学作品について対話していると、ときには自分では考えてもみなかった解釈が飛び出すこともあります。それを、「AI が間違えたことを言っている」と受け取ることもできますが、そもそも、文学作品をどう読むかは個人の自由です。AI の回答を「自分とは違う価値観をもった、たまにちょっと独特な物事の受け取り方をする人」として受け入れてみると、視点が広がるかもしれません。

 Bing Chat は文学作品の内容も比較的正しく把握できるケースが多い。作品について AI と議論し、自身の考えを深めるツールとして使える。

趣味や生活で使う場合の注意点

　この章では、「川柳をつくる」「ルールのある言葉遊びを考える」「食材から料理を考える」「文学作品について議論する」の 4 つの使い方を通して、趣味や生活で ChatGPT をはじめとした対話型生成 AI を使う楽しさについて紹介してきました。最後に、これらの用途で ChatGPT などを利用する場合に注意したいことについてお伝えします。

1.「すべてが正しいわけではない」ことを念頭におく
　ChatGPT などが生成する内容は、必ずしも正しいとは限りません。川

柳を生成したときに実在しない熟語が紛れ込む可能性も考えられますし、食材から料理を考えてもらったときに、間違った調理方法が出てしまうリスクもあります。AI が生成したものを使うときは、その内容が本当に正しいのかを改めて確認することが必要です。

2. AI に丸投げしない

　川柳や俳句、詩、小説などの創作で使う場合、生成 AI はあくまでもヒントをもらうためのツールと考えましょう。AI に丸投げしただけではよい作品はできません。最終的な取捨選択や仕上げは人間が行う前提で、補助的に AI を使うことをおすすめします。

3. 必要に応じて、AI を使ったことを開示する

　どの程度生成 AI を使ったかにもよりますが、創作物の制作過程で AI を使った場合、作品を公開する際に AI を活用したという事実を明らかにするほうがよい場合もあります。また、コンクールなどに応募する作品については、生成 AI の利用が認められているかどうかを事前に確認して、ルールの範囲内で使うことが不可欠です。

> 趣味や生活で使う場合は、すべてが正しいわけではないことを念頭におき、AI に丸投げせず、必要に応じて AI を使用したことを開示することが必要。

ChatGPT で
「なりきりチャット」を楽しむ

　ChatGPT のユニークな使い方として、AI にあらかじめ設定した役割を
与え、その役割を演じてもらいながら会話を楽しむ「なりきりチャット」
があります。たとえば、「人間の言葉を話せる猫」を演じてもらい、自分
が飼い主だという設定で会話をしたいなら、「1 歳の若いメス猫」「おもちゃ
で遊ぶのが大好き」「遊んでくれないとすぐに怒る」といったプロフィー
ルや、「語尾ににゃんをつける」などの話し方などを指示文で指定します。
小説やアニメの登場人物、自分で設定を考えた架空のキャラクターなど、
好きなものを演じてもらえるので、アイデア次第でさまざまな遊び方がで
きます。

 あなたは人間の言葉を話せる猫です。飼い主である私と日本語で会話をしてください。

#あなたのプロフィール
・1歳の若いメス猫で、名前は「ミー」です
・おもちゃで遊ぶのが大好きです
・飼い主が遊んでくれないと、すぐに怒ります

#話し方
・語尾には「にゃ」もしくは「にゃん」をつけてください
・怒ると「シャー」といいます

 おはようにゃん、飼い主さん！今日は一緒におもちゃで遊ぼうにゃ。遊び時間は大事だか
らにゃん。忘れないでほしいにゃ。

図 2-D　演じてほしいキャラクターの年齢や性別、性格などのプロフィールや話し方を指定すると、
ChatGPT がそのキャラクターとして会話をしてくれる（画面は GPT-4 使用）

chapter03

ChatGPT を仕事に使ってみる

ChatGPT でメールの下書きをする

　ある程度形式が決まっているビジネスメールは、ChatGPT が本領を発揮する場面です。ただし、大ざっぱに「お礼のメールを書いて」などと指示するだけでは目的からずれた内容になりやすいので、盛り込みたい要素を箇条書きにして、具体的に挙げる必要があります。

　たとえば、自社が主催するサービス紹介のイベントに参加してくれたお客さま宛てに送るお礼メールの文面を作るなら、次のように指示します。

※この後に続く会話は GPT-3.5 を使用しています。

指示 下の内容で、ビジネスメールの文面を考えてください。

礼儀正しく、ていねいな文面でお願いします。

・弊社が主催するイベント参加のお礼

・雨天にもかかわらず参加してくれた

・当日紹介したサービスについて、質問があれば遠慮なく連絡ください

・今後も同様のイベントを開催していく予定。その際にはぜひまた参加してください

AI 件名：イベント参加に対するお礼とご案内

拝啓 [相手のお名前様],

ご多忙中にもかかわらず、先日開催された弊社主催のイベントにご参加いただきまして、誠にありがとうございました。このメールは、心からの感謝とお礼を申し上げるためにお送りしております。

　当日は残念ながら雨天となりましたが、皆様がお越しいただき、素晴らしいイベントとなりましたこと、心より嬉しく思っております。参加者の皆様のおかげで、充実したひとときを過ごすことができました。

　当日のイベントでは弊社の最新サービスをご紹介させていただきましたが、ご不明点やご質問等ございましたら、遠慮なくご連絡いただければ幸いです。お客様のご意見やご要望は、私たちにとって非常に貴重なものであり、今後のサービス向上のために大いに参考にさせていただきます。

　また、弊社は今後も同様のイベントを開催していく予定です。皆様にはぜひ再度ご参加いただき、新たなサービスや楽しい時間を共有していただければと思います。詳細なイベント情報は、今後のご案内にてお知らせいたしますので、どうぞご期待ください。

　この度は、ご多忙の中お越しいただき、誠にありがとうございました。今後ともより一層のご支援を賜りますよう、心よりお願い申し上げます。

敬具

[お名前]

[役職名]

[会社名]

[連絡先]

「このメールは、心からの感謝とお礼を申し上げるためにお送りしております」という、やや「機械っぽさ」を感じる表現や、メールでは一般的にあまり使用しない「拝啓」「敬具」が使われているなど、多少不自然な点はありますが、それ以外はおおむね違和感のない仕上がりになっています。言い回しも指示通りていねいです。さらに、元の指示にはない「参加者の皆様のおかげで、充実したひとときを過ごすことができました」という気の利いた一言まで入っているなど、かなり上出来といえる仕上がりです。

　もし、生成された文面に不満がある場合は、「○○を伝える内容を入れて」「もっとていねいな言い回しに」などと追加の指示をして修正することもできます。メールの文面を考えるのが苦手な人にとっては、救世主的な存在になってくれるのではないでしょうか。

メールの文面を生成するときは、内容を箇条書きで挙げて指示する。「礼儀正しく、ていねいな文面で」など、文章の方向性も示すとよい。

長い文章を要約する

　長い文章を読んで理解するのは時間も労力もかかります。概要だけを簡単に把握したいときは、ChatGPT に要約してもらいましょう。

　たとえば、本書第 1 章の「意外と古い AI の歴史」の部分を箇条書きでまとめるなら、次のように指示します。

※この後に続く会話は ChatGPT-3.5 を使用しています。

指示 以下の文章の概要を、箇条書きで簡潔にわかりやすくまとめてください。

ChatGPT は、テキスト（文章）による会話形式で質問と回答のやり取りを重ねながら、必要な情報を得ることができるサービスです。たとえば……（以下略、本書 1 章冒頭の文章）

※実際に使うときは、要約するテキストの全文を入れてください。

AI ・ChatGPT は会話形式のテキストベースのサービスで、質問と回答を通じて必要な情報を得ることができる。

　・ChatGPT は様々なタスクをこなせる。例えば、お題を与えて川柳を作成したり、冷蔵庫の食材と好みを伝えて夕食のメニューを考えてもらったり、メールの文面を手伝って作成したりすることができる。

　・ChatGPT の高度な機能は AI による情報処理によって可能になっている。

　・AI は既に日常生活で広く使われており、例としては Siri やGoogle 翻訳、Google レンズなどが挙げられる。

　・AI の歴史は古く、1956 年のダートマス会議が人工知能の始ま

りとされる。
・1960 年代に最初の AI ブームが起こり、一定のルールが定め
られた問題を解くことができるようになったが、複雑な現実
世界の問題には対応できなかった。
・1980 年代に第二次 AI ブームが訪れ、エキスパートシステム
の研究が進められたが、情報の管理が課題となった。
・2010 年代に第三次 AI ブームが起こり、機械学習とディープ
ラーニングの進展により、AI の能力が飛躍的に向上した。

　元の文章に書かれた話題にひととおり触れていて、概要をつかむだけな
ら十分にその役割を果たしてくれそうです。
　箇条書きではなく、「300 字以内」などと文字数の上限を指定して、ま
とまった文章として要約することもできます。

指示 以下の文章を、300 字以内で簡潔にわかりやすく要約してくだ
さい。

ChatGPT は、テキスト（文章）による会話形式で質問と回答の
やり取りを重ねながら、必要な情報を得ることができるサービ
スです。たとえば……（以下略、本書 1 章冒頭の文章）

AI ChatGPT は、テキストベースの会話形式で質問と回答を交わし
ながら情報を得るサービスです。AI による情報処理が行われて
おり、日常生活でも既に広く使われています。AI の歴史を振り
返ると、1956 年の研究発表会で初めて「人工知能」という言葉
が使われ、1960 年代に最初の AI ブームが起こりましたが、複

雑な問題には対応できませんでした。1980年代には第二次AIブームがあり、エキスパートシステムの研究が進められましたが、情報の管理が課題となりました。そして2010年代には第三次AIブームがやってきて、機械学習やディープラーニングの技術によってAIの能力が大幅に向上しました。

「日常生活ですでに広く使われている」という説明は、「ChatGPT」ではなく「AI」ついてのものです。この要約だと主語が「ChatGPT」のように取れてしまう点が少々気になりますが、指定文字数が少なかったことなども考えると、及第点といえるのではないでしょうか。なお、文字数に対する指示は現時点ではそこまで精度は高くないため、指定した文字数を大幅に超えた要約文が生成される場合もあります。

全文を読む前にとりあえず概要だけを把握したいときや、全文をしっかり読む必要があるかどうかを判断したい場合などに、すぐに要約を生成できるのは非常に便利です。ただし、ChatGPTによる要約は意味の取り違えなどが起こる可能性もあるため、要約したものを書類や外部に公開するWebサイトなどに使う場合には、元の文章に一通り目を通して内容に間違いがないか確認するようにしましょう。

元の文章の全文を入れて「要約して」と指示すれば、文章を短くまとめることができる。「箇条書きで」「300字以内で」といった形式の指定も可能。

文章のスタイルや文体を書き換える

ChatGPT を使えば、堅苦しい文章をやさしく書き換えたり、敬体（です・ます調）と常体（だ・である調）を変換したりすることもできます。また、長い説明文を一問一答の Q&A 形式にするといったことも可能です。要約の場合と同様に、指示の後ろに元の文章の全文を入れましょう。

ここでは指示文の例のみ紹介するので、ぜひお手元のいろいろな文章で試してみてください。

■難しい説明をや平易な文章に書き換える

※この後に続く会話は
GPT-3.5 を使用しています。

指示 以下の文章を、7 歳の子どもでも理解できるように書き換えてください。専門用語や難しい単語は使わず、できる限りやわらかい表現を使ってください。

■「です・ます調」と「だ・である調」を書き換える

指示 以下の文章を、「です・ます調」から「だ・である調」に書き換えてください。

■長い文章を Q&A 形式に書き換える

指示 以下の文章を、「Q」と「A」の一問一答形式に書き換えてください。その際に、できる限り書かれているすべての内容を網羅してください。

■長い文章を会話形式に書き換える

指示 以下の文章を、「花子さん」が質問して、それに「先生」が答える会話形式に書き換えてください。その際に、できる限り書かれているすべての内容を網羅してください。

■くだけた文体を堅い文体にする

指示 以下の文章を、論文のような堅い文体に書き換えてください。その際に、語尾は「だ・である調」としてください。

難しい文章を簡単にしたり、「です・ます調」と「だ・である調」を変換したり、長い文章から Q&A を作ったりすることもできる。

イベントの企画を考える

なにかの企画を立てなくてはならないとき、0 からアイデアを生み出すのは大きな労力を必要とします。そんなときは、ChatGPT に相談相手になってもらいましょう。企画の方向性や条件を伝えて質問すれば、いくつかのアイデアを提案してくれます。提案された案によいものがあれば、それについて、さらに具体的な計画を詰めていくこともできます。そして内容が決まったら、イベント告知用の SNS の投稿文も考えてもらうことができます。

ここでは、「地方都市の喫茶店経営者が、イベントの企画を考える」という想定で質問していきます。

※この後に続く会話は GPT-3.5 を使用しています。

指示 私は地方都市で喫茶店を経営しています。店の看板メニューは、こだわりの豆を使ったサイフォン式コーヒーと、地元産の果物を使ったフルーツケーキです。

夏休みシーズンにお客さま向けのイベントを実施したいと考えています。以下の条件で、イベントのアイデアを出してください。

・普段利用してくれているお客さまにとってメリットの大きい内容にしたい。

・同時に新規顧客も獲得したい。

・現在は地元を離れている、帰省中の人にも足を運んでもらいたい。

・リピーターを増やしたい。

・当店のインスタグラムのフォロワーを増やしたい。

AI 夏休みシーズンのお客さま向けのイベントのアイデアをいくつか提案します。これらのアイデアは、お客さまのメリットを重視しつつ、新規顧客の獲得や帰省中の人の集客、リピーターの増加、そしてインスタグラムのフォロワー増加にもつながるものです。

1. ビバレッジデザインワークショップ：

    お客さまに自分だけのオリジナルドリンクを作ってもらうワークショップを開催しましょう。豆の種類やフルーツの組み合わせ、ガーニッシュなどを選ぶことができるようにし、お客さまが自分好みの味を見つけられるようにサポートします。このイベントを通じて、お客さまとのコミュニケーションを深め、リピーターを増やすことができます。また、参加者が自分の作品を撮影し、インスタグラムでシェアするように促し、当店のインスタグラムのフォロワー増加につなげましょう。

2. ローカルフードフェア：

    地元の農産物や特産品とコラボレーションしたフードフェアを開催しましょう。地元農家や加工品メーカーと提携し、当店のコーヒーやケーキと一緒に地元の味を楽しんでもらえるブースを設けます。また、地元産品を使った限定メニューやセットメニューを提供することで、新規顧客の獲得と帰省中の人の集客を図ります。イベントの様子を撮影し、当店のインスタグラムに投稿することで、フォロワーの増加につながるでしょう。

3. バリスタパフォーマンスショー：

　　専門のバリスタを招いて、おしゃれなバリスタパフォーマンスショーを開催しましょう。コーヒーの抽出方法やラテアートのデモンストレーションを行いながら、お客さまに楽しんでもらいます。ショーの合間には、特別なサイフォン式コーヒーやラテアートのワークショップも実施しましょう。お客さまが喫茶店の魅力を満喫できるイベントであり、同時にバリスタの技術や知識に興味を持った人が新規顧客として訪れる可能性もあります。イベントの様子をインスタグラムで共有し、フォロワーの拡大を図りましょう。

4. インスタグラム写真コンテスト：

　　お客さまに、当店のコーヒーやケーキを撮影してインスタグラムに投稿してもらう写真コンテストを開催しましょう。特定のハッシュタグをつけて投稿してもらうことで応募とし、優秀な写真を選出して賞品を贈呈します。このコンテストは、現在のお客さまに当店をより多くの人に紹介してもらうきっかけとなります。また、コンテストの告知や参加作品の紹介をインスタグラムで積極的に行い、フォロワーの増加を図りましょう。

　　これらのイベントを通じて、お客さまの満足度向上や新規顧客の獲得、帰省中の人の集客、リピーターの増加、そしてインスタグラムのフォロワー増加を目指すことができます。イベントの企画・実施には、周知のための広告やSNSの活用、スタッフの充実した対応なども重要ですので、それらの面も工夫して実施してください。

　4つの企画案と、その概要が返ってきました。このなかから、「インスタグラム写真コンテスト」を実施することにした場合の賞品について質問してみました。

AI　インスタグラム写真コンテストの入賞者に贈呈する賞品は、以下のようなアイデアが考えられます。

1. 当店のギフトカード：
　　当店のギフトカードを賞品として提供することで、入賞者が自由にコーヒーやケーキを楽しむことができます。ギフトカードの金額は、コンテストのレベルや重要性に応じて調整できます。
2. スペシャルコーヒーセット：
　　当店の特別なコーヒーブレンドや限定豆をセットにして贈ることで、入賞者に豪華なコーヒーエクスペリエンスを提供します。セットには、豆の種類や焙煎度の異なる複数のコーヒーが含まれると良いでしょう。
3. ラテアート体験：
　　入賞者には、バリスタとの特別なラテアート体験をプレゼントします。バリスタが指導しながら、入賞者自身がラテアートを作り上げる貴重な機会を提供します。この体験は、コーヒーファンや写真愛好家にとって魅力的な賞品となるでしょう。
4. コーヒーグッズセット：
　　グラインダーやサイフォンポット、ドリッパー、フレンチプレスなど、コーヒーを淹れるための便利なグッズをセットにして

贈ることで、入賞者が自宅で本格的なコーヒーエクスペリエンスを楽しめるようにします。

5. イベント招待：

入賞者には、特別なイベントへの招待を贈ることも考えられます。たとえば、コーヒーカッピングイベントやブレンドワークショップなど、コーヒーに関連する貴重な体験を提供するイベントに参加してもらいます。

これらの賞品は、コーヒーラバーや当店のファンにとって魅力的で、インスタグラム写真コンテストへの参加を促進する役割を果たすでしょう。賞品の選択には、当店のブランドイメージや予算に合わせて調整し、入賞者が喜ぶものを選ぶようにしましょう。

喫茶店のイベントで贈呈される賞品として、実際にありそうなものばかりです。企画をさらに具体的にするために、「コーヒーグッズセット」を賞品とする場合にどんなアイテムを選べばよいかを、予算を伝えて聞いてみました。

指示 「コーヒーグッズセット」を賞品にする場合、予算3000円程度ならどのようなアイテムを入れるといいと思いますか？

AI 予算が約3000円程度の場合、以下のようなコーヒーグッズをセットにすると良いでしょう。

1. ドリッパー：

ハンドドリップコーヒーを楽しむためのドリッパーを選びま

しょう。人気のあるブランドやデザイン性の高いアイテムを選ぶと喜ばれるでしょう。

2. ドリッパーペーパー：

ドリッパーで使うフィルターペーパーもセットに加えると便利です。品質の良いものや環境に配慮した再利用可能なフィルターなど、さまざまな選択肢があります。

3. コーヒースプーン：

コーヒーの計量や混ぜるためのスプーンをセットに加えましょう。ステンレス製や木製のスプーンなど、デザインや素材にこだわったものを選ぶと良いでしょう。

4. コーヒーグラインダー：

手動式のコーヒーグラインダーをセットに加えると、入賞者が豆を挽いてコーヒーを淹れる楽しみを体験できます。予算に合うコンパクトなグラインダーを選ぶと良いでしょう。

5. コーヒーストレージ容器：

コーヒー豆を保存するためのスタイリッシュな容器をセットに加えると良いでしょう。真空シールや湿度調整機能があるものなど、豆の鮮度を保つための工夫がされているものを選ぶと良いです。

これらのアイテムは、手軽にハンドドリップコーヒーを楽しむことができるものであり、予算内で実現可能です。品質やデザインにこだわったアイテムを選ぶことで、入賞者に喜んでいただけることでしょう。また、セットの内容は柔軟に調整できますので、予算内でお好みや当店のコンセプトに合ったアイテムを選ぶようにしましょう。

「手軽にハンドドリップコーヒーを楽しむことができるもの」というテーマを定めたうえで、ハンドドリップに必要なアイテムが選定されています。かなり具体的なところまで決まったので、イベント告知のための SNS 用の投稿文を考えてもらうことにします。

指示 この「インスタグラム写真コンテスト」の、SNS 用の告知文を考えてください。実施期間は 7 月 1 日〜 8 月 31 日。コンテスト用のハッシュタグは「# 喫茶 AI 写真コンテスト」です。

> 📸✨ 撮影好きのみなさまへ！夏の思い出を共有しませんか？ ☕❄
>
> 7月1日から8月31日までの期間、喫茶AIでは「喫茶AI写真コンテスト」を開催します！おいしいコーヒーや美しいケーキをテーマに、あなたの素敵な写真をぜひシェアしてください。
>
> 参加方法は簡単！
> ① 当店でお楽しみいただいたコーヒーやケーキの写真を撮影します。
> ② 撮影した写真をインスタグラムに投稿します。
> ③ ハッシュタグ「#喫茶AI写真コンテスト」を必ずつけて投稿します。
>
> 素晴らしい賞品もご用意しました！🎁
> 入賞者には当店の特製コーヒーグッズセットをプレゼントします！ハンドドリップコーヒーをより一層楽しめるアイテムが揃っていますよ。
>
> さらに、入賞作品は当店のインスタグラムでも紹介させていただきます。あなたの写真がたくさんの人に見てもらえるチャンスです！
>
> 詳細や注意事項は当店のウェブサイトをご覧ください。コンテストの結果発表は9月中旬を予定しています。
>
> 夏の思い出をカメラに収め、素敵なプレゼントを手に入れましょう！📸✨
> 是非ご参加ください！ #喫茶AI写真コンテスト

図 3-A-1 SNS 投稿文らしく絵文字入りの楽しげな文面が生成された

SNS 投稿らしく絵文字を交えた楽しそうな文面を作り出してくれました。さらに、この投稿文には続きがあり、注意事項や店舗の住所、連絡先までしっかり記載してくれています。

是非ご参加ください！ #喫茶AI写真コンテスト

※注意※

- 投稿写真は、ご自身で撮影したものに限ります。
- 当店での撮影を許可いただいたお客さまの写真を使用します。
- 公序良俗に反する投稿はご遠慮ください。
- コンテスト結果についてのお問い合わせは受け付けておりません。

【喫茶AI】
住所: ○○市○○町1-2
ウェブサイト: **www.example.com**
インスタグラム: @kissaten_ai

図 3-A-2　応募にあたっての注意点などの情報もしっかり記載されている

　注目したいのは、投稿文の中に「喫茶 AI では〜」という表現が使われていることです。ここまでの一連のやりとりでは、「喫茶店の名前は○○です」という形で店名を明記することはしていません。おそらく、指示文に「ハッシュタグは『# 喫茶 AI 写真コンテスト』です」と書いたことから店名が「喫茶 AI」だと判断して文面に反映したのでしょう。さらに、結果発表をいつ行うかを指示文に入れていなかったにもかかわらず、「キャンペーン期間が 8 月 31 日まで」という指示から判断して「結果発表は 9 月中旬を予定しています」という文言を生成するなど、「細かいことまで逐一伝えなくてもわかってくれる」という ChatGPT のよさが存分に発揮されています。全体的にかなり完成度が高いので、住所の部分などを実際のものに差し替えれば、すぐに投稿できそうです。

　ただし、この投稿文は非常に長いので Twitter にそのまま載せることはできません。そこで、Twitter 用の 140 字以内の投稿を依頼してみました。

指示 Twitter にも投稿したいので、140 字以内にしてください。

【喫茶AI写真コンテスト】📷🍰
夏の思い出写真をシェアしよう！喫茶AI写真コンテスト開催中！コーヒーやケーキの写真
に「#喫茶AI写真コンテスト」をつけて投稿！素敵な賞品も！詳細はウェブサイトで！
@kissaten_ai #コンテスト #写真コンテスト #夏の思い出

図 3-B　Twitter 用に 140 字以内にまとめた投稿文も生成できた

　概要をコンパクトにまとめたツイート文が生成されました。キャンペー
ン用のハッシュタグ以外に「# 写真コンテスト」「# 夏の思い出」というタ
グも追加され、ハッシュタグで検索した人がツイートを見つけやすくなっ
ています。

　「喫茶店でなにかキャンペーンを実施したい」という漠然とした状態か
らスタートして、具体的なキャンペーン内容やコンテストの賞品選び、さ
らには告知用の文章まで、すべて ChatGPT に相談しながら完成させてみ
ました。もちろん、ChatGPT が提案したことを必ず採用する必要はあり
ませんし、最初から最後まで ChatGPT と一緒に決めるのではなく、自分
で考えて行き詰まったことだけを質問する使い方も可能です。会話形式で
「相談」することは、自分の考えを整理して、よりよいアイデアを引き出
すことにつながります。いつでもすぐに応じてくれる相談相手として効果
的に活用してみましょう。

**アイデアを ChatGPT に出してもらい、採用したいものがあれば追
加質問で詳細な内容を詰めていく。相談相手として活用しよう。**

英語のメールを翻訳し、返信文も考える

　ChatGPTは翻訳にも対応できるので、突然英語のメールが届いた場合でも安心です。英語メールの文面をChatGPTにコピー＆ペーストして、「翻訳して」と指示してみましょう。

※この後に続く会話はGPT-4を使用しています。

指示　以下のメールを日本語に翻訳してください。

We are an American news media. We found your blog's article on Japanese food culture very interesting and would love to have our readers read it.Would it be possible for us to feature your article?
We are waiting for your reply.

AI　私たちはアメリカのニュースメディアです。あなたのブログの日本食文化についての記事を非常に興味深いと感じ、私たちの読者にも読んでもらいたいと考えています。あなたの記事を私たちの特集として掲載することは可能でしょうか？
あなたの返信をお待ちしています。

　日本語訳が生成されました。返信が必要なので、日本語のメールを生成したときと同じ要領で、書きたいことを箇条書きで挙げて返信文を考えてもらいましょう。

このメールに対して、以下の内容を返信したいと思っています。英語でメールの文面を考えてください。

・連絡してくれたことを嬉しく思います。

・ぜひ私たちのブログを紹介してください。

・アメリカの皆さんにも、日本の食文化をもっと知ってもらいたいと思っています。

AI Here's a possible English reply for your consideration:

Dear [Recipient's Name],

Thank you so much for reaching out. I'm delighted that you found interest in our article about Japanese food culture.

I wholeheartedly welcome you to feature our blog in your news media. It's our fervent wish that more people in America come to understand and appreciate the richness and diversity of Japanese food culture.

Looking forward to seeing our article featured in your esteemed platform.

Best regards,

[Your Name]

日本語で書いたメールを「Google 翻訳」などの翻訳ツールで英語にす

ることもできますが、その場合はメールの全文を日本語で書く必要があります。ChatGPT ならメールに盛り込みたい内容を箇条書きにするだけでよいので、少ない労力でメールを書き上げることができます。

　ところで、このメールは結びの言葉に "Best regards" が使われていますが、英文メールの結び言葉には "Sincerely" もあります。使い分けに迷ったら ChatGPT に教えてもらいましょう。

指示　"Best regards" と "Sincerely" は、どのように使い分ければよいですか？

A I　"Best regards" と "Sincerely" はどちらもビジネスメールで一般的に使用される結びの言葉ですが、それぞれが示すトーンとフォーマリティが微妙に異なります。

　1."Best regards"：
　　この表現はビジネスメールの結びの言葉として非常に一般的で、さまざまな状況で使用することができます。それはフォーマルでありながらも親しみやすい感じがあります。このフレーズは、具体的なビジネス取引についてコミュニケーションを取るパートナーや同僚に対するメールによく使用されます。
　2."Sincerely"：
　　これはよりフォーマルな結びの言葉で、特に重要なビジネスコミュニケーションや公式な書類（例えば契約書や公式な通知など）で使用されます。このフレーズは、公的な状況や初

めてコミュニケーションを取る人々、または高い地位の人々（例えば会社の CEO など）に対するメールに適しています。

したがって、"Best regards" と "Sincerely" の使い分けは、メールの内容と受信者の関係性によるところが大きいです。あなたがどれだけのフォーマリティを必要とするか、または受信者との親しみやすさの度合いを考慮に入れて、それぞれの表現を使い分けることができます。

単純に文章を翻訳するだけでなく、英語に詳しい人に教わりながらメールを書くような感覚で「こんな返信をしたい」「ここがわからない」と自分の要望を伝えながら進めることができるのが、ChatGPT を使うメリットです。

翻訳したい英文のメールなどを入れて、「日本語に翻訳して」と指示すれば翻訳が可能。日本語の指示で英語の返信文を作ることもできる。

仕事で使う場合の注意点

　企業によっては AI の使用に制限を設けているケースもあるため、仕事に使う場合、まずは組織のルールに従うことが前提となります。そして、利用が認められている場合であっても、注意すべきことがいくつかあります。

1. 内容が正しいかどうかの検証を必ず行う

　ここまでに何度も触れているとおり、ChatGPT が生成する内容は必ずしも正しいとは限りません。そのため、生成されたテキストにしっかり目を通し、間違いがないか確認したうえで使う必要があります。

　たとえば、メールであれば指示内容がきちんとすべて盛り込まれているか、一般的なメールのルールと照らし合わせて文面におかしいところはないかといった点の確認が必要になります。このほかに、本章で扱った用途であれば、要約したときに意味の取り違えが起きていないか、文体を変えたときに語尾が不自然になってしまった箇所はないか、イベントの企画に現実的でないことが含まれていないかといったことをチェックする必要があるでしょう。また、ChatGPT に作ってもらった英文に不安がある場合は、その英文を再度日本語に翻訳することで、内容が正しいかどうかをある程度チェックできます。

- ・メール：指示内容が盛り込まれているか、文面におかしな点はないか
- ・要約：意味の取り違えが起きていないか
- ・文体変更：語尾が不自然になっている箇所はないか
- ・企画：現実的ではない提案が含まれていないか
- ・英文：再翻訳で内容をチェック

2. 個人情報・機密情報は入力しない

　ChatGPT の指示文として入力された情報は、AI の精度を向上させるためのトレーニングに使われる可能性があります。そのため、個人情報や企業の機密情報などを指示文にそのまま入力することは避けるようにしましょう。

個人情報・機密情報は入力しない　　　　固有名詞は置き換えて入力

「A様宛てのメールを作成してください・・・」

図 3-C　入力した情報が AI のトレーニングに使われる可能性があるため、個人情報や機密情報は入力しない。また、固有名詞は置き換えて入力するとよい

　書類やメールで固有名詞が含まれる文面を作成したい場合、指示文を「株式会社 A」「B さん」などの仮の名称に置き換えて書き、生成結果を実際の固有名詞に置き換える方法もあります。

3.「ここで AI を使うのは適切か」を考える

AIで生成した文章を使うことが問題となるシーンもあると思います。たとえば、真摯に謝罪することが求められているときに、その謝罪文にChatGPTで生成したものをそのまま使い、相手がそのことを知ったら余計に怒らせてしまう結果になるかもしれません。「作業」としてAIを使って簡略化してよいケースと、人間が文章を書くことに意味のあるケースを見極めたうえで使う必要があります。

4. 必要に応じて「入力情報を使わせない」設定をする

ChatGPTでは、「指示文として入力した情報をAIのトレーニングに使わせない」という設定を選ぶことが可能です。必要に応じて、この設定を有効にした状態で使うとよいでしょう。その場合、画面左下の自分のアカウント名をクリックして「Settings」を選び、「Date controls」の「Chat history & training」のスイッチをクリックしてオフ（グレーの表示）に切り替えます。

ただし、この設定をオフにすると、チャットの履歴も見ることができなくなってしまいます。

Chapter03
ChatGPT を仕事に使ってみる

97

＜入力データをトレーニングに使わせない設定をする＞

図 3-D-1　画面左下の自分のアカウント名をクリックし、表示されたメニューで「Settings」をクリック

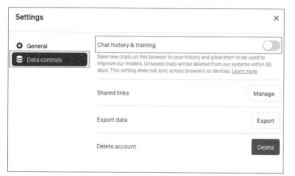

図 3-D-2　左側のメニューで「Date controls」を選び、「Chat history & training」のスイッチをオフ（グレーの表示）にする

ChatGPT を仕事に使う場合は、内容が正しいかどうかの確認を必ず行い、個人情報や機密情報の入力を避ける。必要に応じて入力したデータを AI のトレーニングに使わせない設定も行う。

Windows に生成 AI が標準搭載される

　マイクロソフトは、Windows11 にチャット型生成 AI を統合した「Windows Copilot」を 2023 年 5 月に発表しました。Windows11 のデスクトップにサイドバーとして表示され、チャット上で指示するだけで、設定を変更したり、画面のスクリーンショットを撮ったり、表示中の Web サイトの内容を要約したりといったさまざまな操作を行えるとのこと。

　2023 年 7 月時点では、開発者向けに試験版のプログラムが提供されている段階で、一般ユーザー

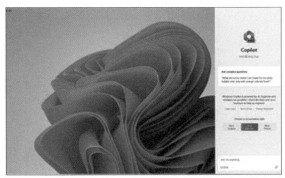

図 3-E　「Windows Copilot」では、Windows11 のデスクトップから AI にチャットで指示を出せる

はまだ使うことができませんが、利用可能になれば、パソコンの操作に困ったときも AI に質問することでスムーズに解決できるようになりそうです。

　さらに、Word や Excel、PowerPoint といった Microsoft Office のアプリケーションで対話型生成 AI を利用できる「Microsoft 365 Copilot」も発表されています。たとえば、Word の画面上で「○○の資料と○○の資料をもとに、企画書の下書きを作成して」などと指示することで、書類の草案を作ることができるとのことです。

　今後は、AI がますます「身近な相談役」として活用されるようになっていきそうです。

chapter04

ChatGPT を " もっと " 使いこなす

使いこなしの七箇条は「ナイスなうさぎ」

　ChatGPT の基本的な使い方を覚えても、自分の目的にあわせて有効活用するのは難しそうだと感じている方もいらっしゃるかもしれません。じつは、使いこなしのために意識しなければならないことは、それほど多くないのです。ここでは、ChatGPT などの対話型生成 AI を使いこなすためのコツを「七箇条」として紹介します。頭文字を並べると「ないすなうさぎ」（ナイスなうさぎ）です。趣味や生活、仕事上のちょっとした作業であれば、この 7 つさえ押さえておけば、十分に有効活用できるはずです（これを考えるにあたり、頭文字のバリエーションを抽出する作業を ChatGPT に手伝ってもらいました）。

「な」：なにをするか決めるのは人間

　ChatGPT を使ってどんな作業をするかを決めるのは、当然ですが人間です。「使ってみたいけれど、なにをすればいいかわからない」という場合は、まずは日頃行っている作業で「もうすこし楽をしたい」と感じているものを探して、それに ChatGPT を使えないか考えてみましょう。

「い」：依存しすぎない

　ChatGPT は、すべてに完璧にこなしてくれる存在ではありません。人間がしっかり指示することや、出力されたものに対する確認と手直しを行う必要があります。完全に依存しきって丸投げするのではなく、あくまでも人間の作業をサポートしてくれる存在として使うことが大切です。

「す」：筋道をたてて具体的に指示する

たとえば、「○○について書いて」のような大ざっぱな指示だけで、求めている文章が作り出されることは期待できません。文章の目的や形式、どんなことを盛り込みたいのかを考え、それを具体的に伝えることで精度の高い結果を得ることができます。企画などを考える場合も同様です。何を求めているのか、筋道を立てて具体的に伝えましょう。

「な」：何度も繰り返し質問する

ChatGPT は、何往復も AI との対話を重ねることで、よりよい回答を引き出すことができます。一往復のやりとりで終わらせず、しつこいくらい何度も追加の質問や指示をしてみましょう。相手は AI なので、「これ以上聞いたら悪いかな？」と遠慮する必要はありません。

「う」：嘘を見抜くのは人間の仕事

ChatGPT が出力する情報は必ずしも正しいとは限りません。回答をそのまま鵜呑みにせず、誤った情報が含まれていないかを必ず確認しましょう。嘘を見抜くのは人間の仕事です。

「さ」：最後は人間が責任をもつ

生成された文章に対して最終的な責任をもつのは、それを生成した人間です。内容の誤りや文章が不自然な箇所などを人の手で修正することはもちろん、適切な使い方がなされているか、権利侵害などの問題はないかといった部分も含め、人間が責任をもって使う必要があります。

「ぎ」：技術はあくまでも手段

　ChatGPTをはじめとしたAIツールやそこに使われている技術は、あくまでも手段にすぎません。有効活用するのも悪いことに使うのも人間なのです。過剰に期待するのでも、必要以上に恐れるのでもなく、適切な距離感でつき合うことが大切です。

> な：なにをするか決めるのは人間
>
> い：依存しすぎない
>
> す：筋道をたてて具体的に指示する
>
> な：何度も繰り返し質問する
>
> う：嘘を見抜くのは人間の仕事
>
> さ：最後は人間が責任をもつ
>
> ぎ：技術はあくまでも手段

ChatGPTなどの対話型生成AIを有効活用するための7つのコツは「ナイスなうさぎ」と覚えよう。

指示文を上手に書くコツ

　2章と3章では、用途別にChatGPTへの具体的な指示の方法を紹介しました。そこでも触れたとおり、同じ内容を伝える場合でも、指示が大ざっぱだと求めている回答は得られにくく、適切な指示ができれば、精度の高い回答が返ってくる可能性が高くなります。上手に指示文を書くためのコツをいくつか紹介します。

1.　前提条件を明確に伝える

　指示をするときに前提となる条件は、できるだけ具体的に伝えましょう。たとえば、食材から料理のメニューを考える指示（52ページ）であれば、使う食材だけでなく、夕食のメニューなのかそれともお弁当なのか、調理にかけられる時間はどのくらいなのかといった情報まで伝えます。また、喫茶店で実施するイベントの企画を考える場合（82ページ）であれば、「喫茶店」という情報だけでなく、店の看板メニューや地方都市の店舗だということまで伝えることで、より具体的な企画を引き出しやすくなります。

2.　長い指示文は「見出し」や「箇条書き」を活用

　指示文が長くなる場合は、「見出し」や「箇条書き」を使って整理して書くようにしましょう。指示項目が複数にわたる場合は、項目ごとに「見出し」を設けます。たとえば、食材からメニューを考える指示なら、「使える食材」「調理時間の条件」などが見出しにあたります。見出しの頭に「■」「#」などの記号をつけたり、見出し部分を＜　＞などのカッコで囲ったりして、その部分が見出しであることを明確にしましょう。
　また、複数の条件を並列で挙げるような場合は、「箇条書き」を使いま

す。頭に「・」などの記号をつけて箇条書きであることを明確にした上で、条件を挙列しましょう。（本書の一部の指示文で使用している「#（シャープ）」の記号については、115 ページをご参照ください）

3. 必要に応じて「見本」を見せる

指示文だけでは伝えづらい場合には、どのように出力すればよいかの「見本」をつけます。たとえば、2 章の「『五十音』のざ行バージョン」を作る試み（36 ページ）では、元の詩の一部を「サンプル」として示しました。

また、3 章で紹介している文体などを書き換える操作（80 ページ）も、思いどおりの結果にならない場合は、書き換え後の文章のサンプルをつけてみるとよいでしょう。

4. 的外れな回答は追加指示で軌道修正

意図した生成結果が得られなかった場合でも、追加の指示を行うことで軌道修正できる場合があります。たとえば、川柳の音数が「5・7・6」になってしまい、これを「5・7・5」に直したい場合なら、他はそのままに、6 音の部分だけを書き換えるように指示します（33 ページ）。

思いどおりの結果にならないのは、指示のしかたが不十分なことが要因であるケースも少なくありません。具体的に直してほしい部分を示して修正を依頼することで結果が改善できます。

5. 必要に応じて「出力形式」も指定

　結果を指定の文字数以下の文章でまとめたい場合は「300字以内で」などと指定したり、長い文章ではなく箇条書きにしたい場合は「箇条書きで」と付け加えたりします（ただし、文字数の指定については現状ではそこまで精度は高くありません）。

　また、ChatGPTは表形式で情報をまとめることも可能です。たとえば、「この文章に登場する専門用語とその意味を表にまとめてください」のように指示して用語集を作ることもできます。

1. 前提条件を明確に伝える
2. 長い指示文は「見出し」や「箇条書き」を活用
3. 必要に応じて「見本」を見せる
4. 的外れな回答は追加指示で軌道修正
5. 必要に応じて「出力形式」も指定

指示文では、前提条件を具体的に伝え、見出しや箇条書きを使って整理して書くことや、必要に応じて見本を見せることがポイント。また、思いどおりの結果にならなかった場合は、追加の指示で修正する。

本質は「人への指示」と同じ

　ChatGPT への指示文の書き方で求められることは、じつは人間に対して指示を出す場合に必要なこととそれほど変わりません。相手が困らないようにできるだけ具体的に伝えることや、混乱を招かないように指示内容を整理すること、参考にできる見本を一緒に渡すこと、結果に対して直してほしい場所を具体的に伝えて修正してもらうこと、これらは人間に対してなにかの作業を依頼する場合でも行っていることではないでしょうか。

　ChatGPT などの生成 AI に対する指示も、人間に対する指示も、「相手にとってわかりやすく伝える」という意味では本質的には同じなのです。「AI が理解できるようにしっかり指示文を書かなくては」などとあまり身構えることなく、「自分が指示を受ける立場だったら、どんな情報がほしいだろう？」という視点から考えてみてるといいかもしれません。

> ChatGPT への指示で求められることは、じつは人間に依頼する場合とさほど変わらない。「相手にとってわかりやすく伝える」ことが大切。

ChatGPTの「プラグイン」で機能をプラスする

　ここからは、機能面でChatGPTの使いこなしに役立つツールの紹介です。有料プラン「ChatGPT」で利用できる「プラグイン」は、ChatGPTに外部のサービスを接続することで、通常のChatGPTだけではできない操作を可能にするためのものです。まずはプラグインを入手してみましょう。

＜プラグインを検索して追加する＞ ※有料プランのみ

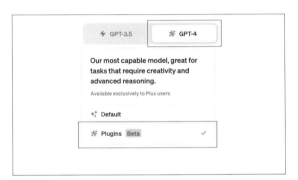

図4-A-1　画面上部で「GPT-4」を選び、表示されるメニューから「Plugins」をクリック

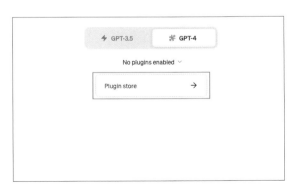

図 4-A-2 「No pl-ugins enabled」の文字をクリックすると表示される「Plugin store」をクリック

図4-A-3　プラグイン一覧が表示される。左上の「All」をクリックすると、すべてのプラグインを見ることができる

図4-A-4　上部の検索ボックスからプラグイン名で検索も可能。「Install」をクリックすると入手できる

図4-A-5　インストールしたプラグインは、最大3つまで同時に有効にできる。有効にしたいものにチェックする

すぐに使えるおすすめプラグイン

「＋New Chat」で新しい会話を開き、プラグインを有効にすると、それぞれのプラグインの機能を利用できるようになります。ここでは、趣味や生活、仕事で役立つ5つのプラグインを紹介します。いずれもPlugin storeからプラグイン名で検索することで見つけることができます。

■ PlugFinder

プラグインを探すためのプラグイン。「情報の整理に役立つプラグインを教えて」のように、探している機能などを伝えると候補が表示される。

図4-B-1 「PlugFinder」は、プラグインを探すためのプラグイン

■ Kakaku.com

　商品比較サイト「価格.com」の公式プラグイン。「5万円以下のロボット掃除機」のように、探している商品と予算を伝えると、条件に合う商品の候補が商品名や価格、評価、写真などとともに表示される。

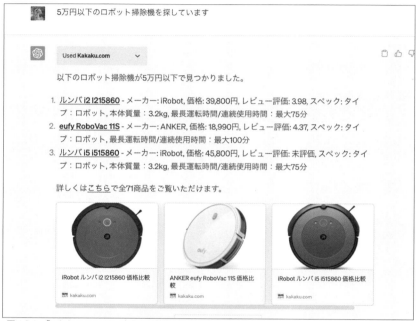

図 4-B-2　「Kakaku.com」は、商品を予算などから探すことができる

■ MixerBox ChatVideo

　YouTube などで公開されているの動画の URL から、動画の概要をテキストでまとめたり、外国語の動画の要約を日本語に翻訳したりできる。

図 4-B-3　「MixerBox ChatVideo」は、動画内容の要約や翻訳が可能

■ AskYourPDF

　Web 上の PDF ファイルの URL から内容を要約したり、「○○についてはどのように書かれていますか？」などと質問して情報を引き出したりできる。

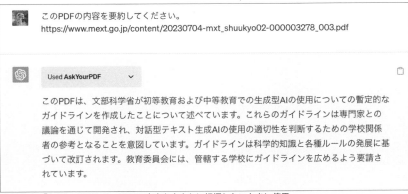

図 4-B-4　「AskYourPDF」は、PDF の内容を大まかに把握したいときに使用

■ Show Me Diagrams

　入力したテキストを元に図解を作成してくれるプラグイン。頭の中を整理したいときや、プレゼン資料などで図解を作成するときのヒントなどに役立つ。

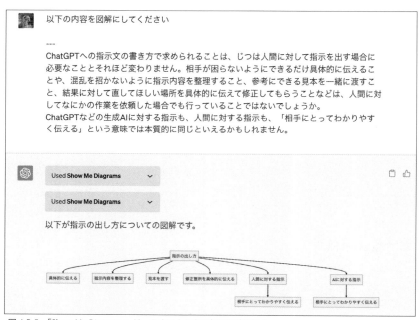

図 4-B-5 「Show Me Diagrams」は、テキストから図解を作成できる

指示文に使われる「#」の記号の意味は？

　本書で紹介している一部の指示文には、見出しに「#」（シャープ、半角の井げた）を使っているものがあります。これは、「マークダウン記法」というテキストの書き方で、コンピューターに文章の構造を理解させるときに使われるものです。#や-の後に半角スペースを入力し、その後に見出しや箇条書きの項目を入力することで、それぞれが「見出し」や「箇条書き」であることをコンピューターに明確に伝えることができます。

　ChatGPTで指示文を書くとき、多くのときは、■などの記号をつけたり、＜　＞などで囲うだけで見出しとして認識されますし、箇条書きの記号も「・」などの一般的なWord文書などで使う記号で問題ありません。そのため、必ずしもマークダウン記法を使う必要はありませんが、見出しの数が多い場合や、見出し項目が入れ子式になっている場合など、長く複雑な指示文を書くときには、マークダウン記法を使うことで誤認識を防ぐ効果が期待できます。

入力する文字	意味
# 見出しの文字	大見出し
## 見出しの文字	中見出し
### 見出しの文字	小見出し
- 箇条書き項目	箇条書き

表4-C　マークダウン記法の例。指示文に階層構造の見出しがある場合などに使用すると、テキストの構造を正確に伝えることができる

chapter05

生成 AI 普及の可能性と課題

生成 AI の普及で懸念されていること

　ここまでは、生成 AI のポジティブな面を中心にみてきました。ただし、何事もメリットばかりというわけではありません。ChatGPT の活用が広がることで起こりうる問題も指摘されています。企業や自治体、学校などが活用していくためにはこれらのリスクへの対策が必要となり、すでにさまざまな試みが行われています。リスクとして指摘されることの多い事項としては、以下の 4 点が挙げられます。

1.　誤情報がそのまま利用される可能性

　ChatGPT などの対話型生成 AI が出力する内容は、必ずしも正しいとは限りません。たとえば、ChatGPT で作成した書類に誤った情報が含まれていることに気づかず、そのまま取引先や顧客に渡してしまえば、大きなトラブルにつながる可能性もあります。また、海外のニュースメディアが AI ツールを使って記事を作成した結果、誤った内容を含む記事を公開してしまったという出来事もありました。

　誤情報によるトラブルを防ぐためには、出力された情報に対して必ず確認をすることや、誤りを正しく見抜けるだけの知識を持ち合わせていることなどが求められます。

2.　情報漏えいにつながる可能性

　ChatGPT や Google の対話型生成 AI「Bard」では、ユーザーが入力した指示文がモデルのトレーニングや改善に利用される可能性があるとしています。そのため、個人情報や機密情報を入力することで、情報漏えいにつながる可能性が指摘されています。なお、98ページで紹介したように、

ChatGPTは入力した情報をトレーニングに利用されないようにする設定ができます。

3. 著作権侵害が起こる可能性

　生成AIはインターネット上の情報を学習し、それを元に生成を行うため、既存のコンテンツと類似したものが作り出されてしまう可能性があることが指摘されています。とくにこれは画像生成AIやプログラミングコードの生成などで問題視されており、まだ答えの出ていない課題です。

　この状況を受け、文化庁では「AIと著作権」と題したセミナーを2023年6月に実施。著作権制度の基本に加え、AIと著作権が関係する場面にはいくつかの異なる段階があり、その段階ごとに検討する必要があること、それぞれどのような著作権が関係するかといったことが解説されました。文化庁のWebサイトでこのセミナーの動画および資料を閲覧することができます（2023年7月24日現在）。

図5-A-1 「AIと著作権」セミナーは、文化庁の公式サイトで動画および講演資料（PDF）が公開されている

https://www.bunka.go.jp/seisaku/chosakuken/93903601.html

4. 教育に悪影響をおよぼす可能性

　子どもや学生が生成 AI を使うことについて、「AI で出力した作文やレポートを自分が書いたものとしてそのまま提出する不正が横行するのではないか」「きちんとした調べものを行う力が身につかなくなるのではないか」といった問題点が指摘されています。

　これに対して、文部科学省は 2023 年 7 月に「初等中等教育段階における生成 AI の利用に関する暫定的なガイドライン」を公開。教育現場での活用について、「適切でないと考えられる例」と「活用が考えられる例」を具体的に紹介しています。

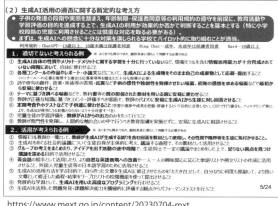

図 5-A-2　文部科学省初等中等教育局が公開した資料。生成 AI の活用を判断する際の参考資料と位置づけられている

https://www.mext.go.jp/content/20230704-mxt_shuukyo02-000003278_003.pdf

　企業や自治体、学校などが生成 AI を導入する場合には、これらのリスクにどう対処するかが重要となります。次項から、企業や自治体、学校の生成 AI への対応状況や導入事例を紹介していきます。

　　生成 AI のリスクとして、誤情報の拡散や情報漏えい、著作権侵害、教育への悪影響などの可能性が指摘されている。

企業は「自社専用の生成 AI」を導入

　企業で生成 AI を導入する場合、ChatGPT などのサービスをそのまま使うのではなく、自社専用にカスタマイズされたツールを利用するケースが多くみられます。

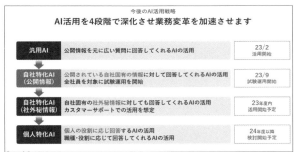

図 5-B-1　パナソニックコネクトが公開した AI 活用戦略
https://news.panasonic.com/jp/press/jn230628-2

　たとえば、パナソニックコネクトは、2023 年 2 月にいち早く生成 AI の導入を決め、日本国内の社員全員に、ChatGPT をベースにした自社向け AI アシスタントサービス「ConnectAI」の運用を開始。当初は公開情報を元に広い質問に回答してくれる汎用 AI として活用されてきましたが、9 月以降には自社の公式情報を連携し、自社固有の情報に回答してくれる AI の試験運用も予定していると発表されています。

　このほかに、ベネッセホールディングスや三井住友フィナンシャルグループ、日清食品ホールディングスなども GPT モデルをベースに自社向けに開発した対話型生成 AI の導入を発表しています。また、サイバーエージェントは自社開発した大規模言語モデルと ChatGPT の技術を組み合わせることで、広告画像の内容を考慮しながら、ターゲットに合わせてデジタル広告のコピーを作り分ける機能を開発しています。

企業が自社向けにカスタマイズしたツールを導入する理由として、先述の情報漏えい防止の観点があります。Open AI は、ChatGPT などの機能を外部サービスで利用できる「API」や、その機能を開発者向けのクラウドプラットフォームで利用できる「Azure OpenAI Service」を提供しています。これらを利用して作られた独自サービスの場合、入力された指示文はモデルのトレーニングに利用されません。つまり、「入力情報が情報漏えいにつながる可能性がある」という懸念点を解消できるのです。先述のとおり、ChatGPT でも入力した指示文をトレーニングに使わせないようにすることは可能ですが、その場合は利用する社員それぞれが設定を行うことになります。よりリスクの低い方法として、独自 AI の開発が選ばれているのでしょう。

　業務効率化の面では多くのメリットが期待できる生成 AI。先行事例で順調に導入が進めば、今後より多くの企業に活用が広がっていくかもしれません。

図 5-B-2　開発者向けの「Azure OpenAI Service」で提供される ChatGPT は、入力した情報がモデルのトレーニングに使用されない

企業名	導入状況
パナソニックコネクト	自社向けツール「ConnectAI」を 2023 年 2 月より運用。9 月以降は自社の情報と連携した AI の試験運用を予定。
三井住友フィナンシャルグループ	Microsoft Azure 上の OpenAI Service を活用し、社内従業員のみ利用可能なツールを構築。実証実験を 2023 年 4 月より開始。
ベネッセホールディングス	Microsoft Azure 上の OpenAI Service を活用した独自の AI チャットを 2023 年 4 月よりグループ社員 1 万 5000 人に提供。
日清食品ホールディングス	Azure OpenAI Service などを活用した独自の対話型 AI を、2023 年 4 月よりグループ社員 3600 人に提供。
サイバーエージェント	自社開発の大規模言語モデルと ChatGPT の API を組み合わせ、広告コピーをターゲットごとに作り分ける機能を開発。

表 5-B-3　生成 AI を導入する企業。いずれも自社専用ツールを開発している

企業でも生成 AI の活用は広がりつつある。ChatGPT をベースに自社専用として構築した独自の AI ツールを導入するケースも多い。

各地の自治体でも導入が進む

　自治体でも業務効率化などを目的に活用を模索する動きが出ています。全国に先がけて 2023 年 4 月から導入を行う神奈川県横須賀市は、独自の環境で ChatGPT の機能を利用できるしくみを構築。すべての職員に向けて提供されました。

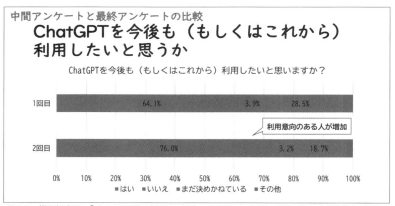

図 5-C　横須賀市は、「ChatGPT 活用実証結果報告」を 2023 年 6 月に公開。約 8 割が今後も利用したいと回答している
https://www.city.yokosuka.kanagawa.jp/0835/nagekomi/20230605_chatgpt2.html

　6 月に公開された報告では、約半数の職員がある程度利用し、8 割以上の職員が、「仕事効率の向上につながる」「利用を継続したい」と回答したことが発表されています。このほかにも、全国の自治体が続々と導入や試験運用を決めており、今後も各地で導入の動きが広がっていきそうです。

各地の自治体でも ChatGPT の活用が進む。全国に先がけて導入した横須賀市では 8 割以上が「効率化につながる」と回答。

組織向けのガイドラインも公開

　企業などの組織が生成AIを導入するときに役立つ資料も公開されています。一般社団法人日本ディープラーニング協会が2023年5月に公開した「生成AIの利用ガイドライン」は、組織が生成AIを導入する際に最低限定めておいたほうがよいと思われる事項をまとめたもの。

図 5-D　日本ディープラーニング協会が公開したガイドライン。必要事項を書き換えて利用できる
https://www.jdla.org/document/#ai-guideline

　社名や部署名などの組織ごとに書き換える必要のある箇所が明示されたWordファイルとして提供され、ガイドライン作成担当者向けの解説もついているので、解説を読みながら必要事項を書き換えるだけですぐに使うことができます。また、それぞれの組織の状況にあわせて修正や加筆を行うことも可能。

　ガイドラインの内容は、個人情報や機密情報の入力についての注意喚起や生成物を使う場合に注意すべきことなどの基本的な事項が中心ですが、企業が自社で1からこのような資料を作成するにはけっこうな労力を要

するでしょう。ガイドラインの存在はスムーズな導入の大きな助けとなってくれそうです。

 日本ディープラーニング協会は、組織向けに「生成 AI 利用のガイドライン」を公開。必要事項を書き換えるだけで利用できる。

文部科学省の「ガイドライン」はどんな内容？

　文部科学省が公開した「初等中等教育段階における生成 AI の利用に関する暫定的なガイドライン」は、禁止や義務づけをするためのものではなく、教育現場で生成 AI を活用するか否かを判断をするための参考資料として暫定的に取りまとめられたものとなります。

　「適切でないと考えられる例」には、「情報活用能力が十分に育成されていない段階で自由に使わせる」「コンクールの作品やレポート・小論文などに生成 AI の成果物をそのまま自分の成果物として応募・提出する」「テーマに基づき調べる場面で、教科書などの質の担保された教材より先に安易に使わせる」といった項目が挙げられています。いずれも当たり前といえば当たり前のことではありますが、教育の現場で起こりうる状況について、わかりやすく具体例をあげてまとめられています。

　また、「活用が考えられる例」では、「グループの考えをまとめたり、アイデアを出す活動の途中段階で、生徒同士で議論をした上で、足りない視点を見つけ議論を深める目的で活用」「英会話の相手としての活用や、一人一人の興味関心に応じた単語・例文リストの作成に活用」などが挙げられています。

　さらにこのガイドラインでは、各サービスが定めた年齢制限や保護者同

適切でない	活用が考えられる
情報活用能力が十分に育成されていない段階で自由に使う	足りない視点を見つけ議論を深める
生成AIの成果物をそのまま自分の成果物とする	英会話の相手や、単語・例文リストの作成
質の担保された教材より先に調べものに使う	情報モラル教育で、AIが生成する誤りを含む回答を教材として使用

図 5-E-1　文科省の「生成 AI の利用に関する暫定的なガイドライン」には、適切でない例、活用が考えられる例が具体的に示されている（一部を抜粋）

意などの利用規約を遵守する必要性にも言及されています。意外と見落としがちですが、ChatGPT の利用年齢は 13 歳以上で、18 歳未満は保護者同意が必要と利用規約で定められています。また、Bing Chat も未成年は保護者同意が必要とされており、そもそも子どもが自分だけの判断で使うことは本来できないのです。大人が使うことを前提にまとめられたガイドラインなどでは年齢制限に触れられることはあまりないので、この項目は学校向けの資料ならではといえます。

サービス名	年齢に関する規約
ChatGPT （OpenAI）	利用は 13 歳以上、18 歳未満は保護者の同意が必要
Bing Chat （マイクロソフト）	未成年は保護者の同意が必要
Bard （Google）	18 歳以上

表 5-E-2　各サービスの利用規約に記載された年齢に関するルール

　リスクや注意すべき点を明らかにしたうえで、活用例についても具体的に紹介された、バランスのとれた内容という印象です。このようなガイドラインが早い段階で出されたことは、不適切な使い方を防ぐだけではなく、積極的な活用を後押しする役目もしてくれそうです。

文部科学省は、小中高校向けのガイドラインを公開。適切ではない使い方や可能性のある使い方が具体例で示されている。

大学での対応はさまざま

　文科省のガイドラインは小・中学校と高校を対象にしたものですが、大学でも生成 AI は大きな影響をもたらす可能性があります。ChatGPT の登場以来、多くの大学が生成 AI の使用についての方針を表明する文書を公開しています。多くの場合、生成されたものを課題などにそのまま使うことについては禁止もしくは注意喚起を行っていますが、厳格に禁止を呼びかけているケースから、ルールを守ったうえで必要に応じて適切に活用していくことを推奨するものまで方針には違いがみられます。

大学名	生成 AI に対する方針
東京大学	生成系 AI のみを用いてレポート等を作成することはできない。問題の生じない利用の方向性を見出すことが重要。
早稲田大学	安易な利用には注意が必要。時と場合に応じて適切な使い方ができるようにする必要がある。
上智大学	レポート・論文等での使用を認めない。ただし、教員の許可があればその指示の範囲内で使うことは可能。
明治大学	生成系 AI のみでレポート等を作成することは認められない。一部の利用であっても、剽窃とみなされる場合がある。
東洋大学 情報連携学部	ChatGPT との対話の過程で自分の考えを深めることもできるため、利用に制限は設けずむしろ推奨する。
武蔵野美術大学	生成 AI の回答をそのままレポートや自分の作品として提出することは禁止。学びのきっかけとしての活用は意味がある。

表 5-F　各大学が公開した生成 AI に対する方針。禁止から推奨までさまざま

大学も生成 AI に対する方針を表明。厳格に禁止とするケースから、適切な活用をうながすものまで対応が分かれる。

「AIの文章を見分けるツール」の精度は？

　学校の課題などを生成 AI で作り、そのまま提出した場合、採点を行う
教職員はそれに気づくことができるのでしょうか？　ChatGPT の提供元
である Open AI は、識別ツール「AI Text Classifier」を公開しています。

このツールでは、
1000 字以上のテ
キストを入力する
ことで、ChatGPT
で作られた可能性
がどの程度ある
かの識別を行えま
す。結果には、「AI
によって生成され

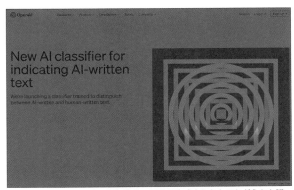

図 5-G-1　OpenAI は、文章が ChatGPT で生成されたものかどうかを識
別するツールを公開している

た可能性が高い」「AI によって生成された可能性がある」「AI によって生
成されたかどうか不明」「AI によって生成された可能性は低い」「AI によっ
て生成された可能性は非常に低い」のいずれかのラベルが付けられ、大ま
かな目安として利用することが可能です。

　ただし、結果を過信することは禁物です。AI Text Classifier のリリース
時に公開された情報によると、英語のテキストを使った評価では、AI が
書いたテキストの 26％を「AI が書いた可能性がある」と正しく識別する
一方で、人間が書いたテキストの 9％を「AI が書いた」と誤識別したと
のこと。もし識別が誤っていた場合、きちんと人間によって書かれた文章
に AI 生成物ではないかという疑いがかけられることにもなりかねません。
ツールは絶対的なものではないと理解したうえで利用する必要がありま
す。

＜ AI Text Classifier を使う＞

AI Text Classifier

The AI Text Classifier is a fine-tuned GPT model that predicts how likely it is that a piece of text was generated by AI from a variety of sources, such as ChatGPT.

This classifier is available as a free tool to spark discussions on AI literacy. For more information on ChatGPT's capabilities, limitations, and considerations in educational settings, please visit our documentation.

Current limitations:

- Requires a minimum of 1,000 characters, which is approximately 150 - 250 words.
- The classifier isn't always accurate; it can mislabel both AI-generated and human-written text.
- AI-generated text can be edited easily to evade the classifier.
- The classifier is likely to get things wrong on text written by children and on text not in English, because it was primarily trained on English content written by adults.

Try the classifier

To get started, choose an example below or paste the text you'd like to check. Be sure you have appropriate rights to the text you're pasting.

図5-G-2　AI Text Classifier（https://platform.openai.com/ai-text-classifier）にアクセスする

Text

Enter your document text here

By submitting content, you agree to our Terms of Use and Privacy Policy. Be sure you have appropriate rights to the content before using the AI Text Classifier.

Submit　Clear

図 5-G-3「Text」欄に判定を行いたい文章（1000字以上）をコピー＆ペーストして、「Submit」をクリックする

ビジネスの分野では、ChatGPTは顧客対応の効率化を実現し、業務の生産性向上を支援します。また、意思決定の過程における情報分析や提案作成など、より高度なタスクにも対応可能で、企業の競争力強化に貢献するでしょう。

ChatGPTの精度と即応性は、人間と機械のインタラクションを新たな次元へと引き上げる力を持っていま

By submitting content, you agree to our Terms of Use and Privacy Policy. Be sure you have appropriate rights to the content before using the AI Text Classifier.

Submit　Clear

The classifier considers the text to be **possibly** AI-generated.

図 5-G-4 入力欄の下に識別結果が表示される

（結果の見方）

Likely AI-generated：AI によって生成された可能性が高い

Possibly AI-generated：AI によって生成された可能性がある

Unclear if it is AI written：AI によって生成されたかどうか不明

Unlikely to be AI-generated：AI によって生成された可能性は低い

Very unlikely to be AI-generated：AI によって生成された可能性は非常に低い

　なお、ChatGPT に直接「この文章はあなたが作ったものですか？」と聞く使い方は誤判定を招く可能性が高いため、行うべきではありません。試しに手元の自分で書いた文章を入力して質問してみたところ、有料版で利用できる GPT-4 の場合、「その文章が私が直接生成したものであるかを確認することはできません」という回答だったものの、無料版の ChatGPT で提供されている GPT-3.5 では、「私が作成しました」と誤った回答が返ってきました。

　海外では、大学の講師がこの方法で学生の論文を AI による生成物だと判断し、不当な評価を下したのではないかとされるトラブルも報じられています。学生からすれば、まじめに書いたレポートを AI 生成だと不正扱いされたらたまったものではありません。現時点では、AI 生成物を正確に見極めることは困難です。正しい判別ができない「ChatGPT に直接聞く」方法は避け、ツールを使う場合も、あくまでも参考程度と考えるようにしましょう。

AI が生成した文章を見分けるツールの結果は必ずしも正しいとは限らない。ChatGPT に直接「あなたが作った文章か」を聞くのは避ける。

活用 or 禁止、今後はどうなっていく？

　生成AIを使うことで得られる恩恵もあれば、それに伴って生じるリスクも存在しますが、本章で紹介してきたとおり、日本では一定のリスク対策を行ったうえで活用を模索する傾向が比較的強いように思います。生成AIに対して批判的な声も当然ありますが、「リスクがあるから使うな」と禁止するだけは解決になりません。そもそも、誰もが使える状態でツールが公開されている以上、企業や学校単位で「規制」することは現実的ではないでしょう。たとえば、会社が使用を禁止したとしても、社員が自分のスマホから個人のアカウントで使用することを防ぐのは困難です。企業や自治体で導入を急ぐ背景には、「裏で勝手に使われてしまうほうがリスクが大きい」という観点もあるかもしれません。

　本章でも触れたとおり、すでにさまざまな導入・活用の事例が生まれており、一定の成果を出している企業や自治体もあります。そして、導入の際に参考になるガイドラインなどの資料も出てきています。そのような意味でも、生成AIを活用していくための環境は整いつつあるといえるのではないでしょうか。今後もさまざまな組織が試行錯誤しながら、自らの組織にあったベストな生成AIの取り入れ方を見つけ出していくと考えられます。

> 日本では一定のリスク対策を行ったうえで活用を模索する傾向が強い。今後もこの動きが広がっていくと予測される。

EUでは「AI規制法」の制定に向けた動きも

　欧州連合（EU）では、生成AIを含めたAIについて、「AI規制法」とよばれるルールを制定する動きがあります。これは、2021年に最初に発表された法案で、2024年頃の施行をめざすとされています。規制法ではAIをリスクのレベルによって「許容できないリスク（赤）」「ハイリスク（紫）」

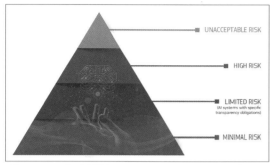

「限定リスク（青）」「最小リスク（緑）」の4段階に分類し、このうち「許容できないリスク」とされたものは禁止され、「ハイリスク」「限定リスク」については規制や要求事項が課せられるとされています。

図5-H　EUの「AI規制法案」では、AIのリスクを4段階に分類している
https://digital-strategy.ec.europa.eu/en/policies/regulatory-framework-ai

　2023年6月に欧州議会の本会議で採択された規制案には、ChatGPTなどの生成AIを提供する企業に透明性の担保を要求する内容も含まれています。具体的には、コンテンツがAIによって生成されたものであることを開示することや、違法なコンテンツの生成を防ぐモデルの設計、AIの学習で使われる著作権で保護されたデータの概要を公開するなどが求められています。

　日本の一般ユーザーへの直接的な影響はあまりないかもしれませんが、AIサービスを提供する事業者にとっては目の離せない動きとなっています。

chapter06

さらに広がる生成 AI の世界

生成 AI をめぐる動き

　前章まで、ChatGPT を中心とした対話型文章生成 AI について、しくみや使い方、利用時のコツや注意点、活用の可能性や課題などをみてきました。今後は Word や Excel のような業務ツールにも生成 AI が組み込まれ、誰もが当たり前に使うものになっていきそうです。また、文章生成 AI の元となる「大規模言語モデル」を日本で作る動きも進んでいます。

　そして、生成 AI の世界はこれだけではありません。文章以外の生成 AI も進化をし続けています。画像生成 AI は 2022 年から注目を集め、すでに多くの人たちに利用されていますし、動画や音声を作る AI も登場しています。さらに、クリエイティブツールにも生成 AI を使った機能が組み込まれるなど、ますます身近な存在として広がっているのです。

業務ツールへの生成 AI 組み込みは当たり前に

　ChatGPT のような単独のツールで生成 AI を使うのではなく、業務ツールのなかに組み込まれた AI 機能を利用するケースも今後は増えていきそうです。たとえば、マイクロソフトと Google は、それぞれ既存の業務用ツールに生成 AI の機能を搭載する予定だと発表しています。また、情報管理ツールの「Notion」は、2023 年 2 月からいち早く AI 機能を導入しました。

　普段使っているツールの画面から AI が使えるようになることで、利用のハードルは大きく下がるはずです。その都度 ChatGPT などの画面に切り替える必要がなくなることに加え、これまで ChatGPT などのアカウントを持っていなかった人が初めて生成 AI に触れるきっかけにもなるかもしれません。

■ Microsoft 365

　「Microsoft 365」は、マイクロソフトが提供する「Word」や「Excel」「PowerPoint」といった各種の業務用アプリケーションを定額制で利用できるサービスです。ここに生成 AI の機能が加わった「Microsoft 365 Copilot」が今後提供されることが 2023 年 3 月に発表されています。Copilot（コパイロット）とは、「副操縦士」のこと。機長をサポートする飛行機の副操縦士のように、作業を手助けしてくれる存在という位置づけです。

　たとえば、Word の画面内で AI に指示をして文章の草案作成や編集、要約を行うことや、Excel のデータについて AI に質問して分析を行うこと、PowerPoint 内でスライドの文章の改善案を AI に出してもらったり、組み込まれた画像生成 AI でスライドに合った画像を生成したりすることが可能になるとされています。

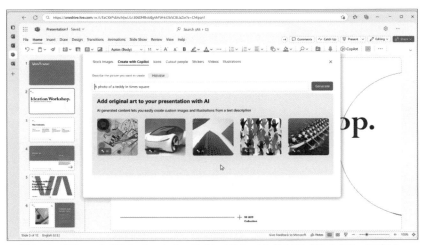

図6-A-1　「Microsoft 365 Copilot」によって、WordやExcelなどの使い慣れたOfficeアプリケーション内から生成 AI を使えるようになる　https://news.microsoft.com/annual-wti-2023/

■ Google WorkSpace

Google が提供する「Google WorkSpace」も、文書作成や表計算、スライド作成などの業務アプリケーションを利用できるサービスです。こちらも生成 AI を使った機能の導入が 2023 年 3 月に発表されました。文書作成アプリ「ドキュメント」での執筆や校正、書き直しのサポートや、表計算アプリ「スプレッドシート」での数式生成やデータの分類、プレゼンテーションアプリ「スライド」でのスライド用のオリジナル画像の生成などの搭載が予定されています。また、メールソフト「Gmail」の Google WorkSpace 版では、メールの下書きをしたり文章のトーンを書き換えたり、メールの内容を要約したりといった作業を AI で行える機能が搭載される予定となっています。

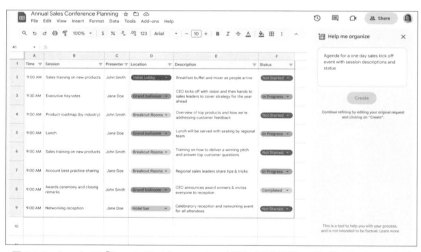

図 6-A-2　Google の「Google WorkSpace」も、文書作成や表計算、プレゼンテーションなどのアプリに生成 AI の機能が搭載される予定
https://workspace.google.com/blog/ja/product-announcements/duet-ai

■ Notion

　Notion（ノーション）は、メモやタスク、データベースなどを 1 か所
にまとめておける情報管理ツール。多機能さや使い勝手のよさから近年
人気が高まっています。2023 年 2 月に一般公開された「Notion AI」は、
Notion の画面内で AI を使ったさまざまな操作を行える機能。たとえば、
会議の議事録からやるべきことをリストアップしたり、長い文章を要約し
たり、文章を改善したりといった操作が、メニューから項目を選ぶだけで
行えます。さらに、ChatGPT のように自由な指示文を入力して AI の回答
を得ることも可能です。本格的に利用するには、Notion 本体とは別に月
10 ドルの料金が必要になりますが、無料トライアルが用意されているの
で、すべての機能を購入前に試すことができます。

図 6-A-3 「Notion AI」には、文章の生成や要約、タスクの洗い出しをはじめ多彩な機能が揃う。
独自の指示文を入力して使うことも可能

■ note

　業務ツールとはやや異なる位置づけですが、メディアプラットフォームの「note」も、AI機能を導入しています。noteはユーザーが自分の文章などを公開できるサービスで、企業が広報目的で利用するケースも増えています。2023年4月に全ユーザーに公開された「note AIアシスタント」は、記事の構成や書き出しの候補をAIに提案してもらったり、自分で書いた文章のテイストを変更したりといった操作を行えます。noteの無料会員は月5回まで、月額500円の「noteプレミアム」会員は月100回までAIアシスタントの機能を利用可能。さらに、法人向けプランの「note Pro」には、炎上リスクの確認やイベント告知の作成などの限定機能も提供されています。

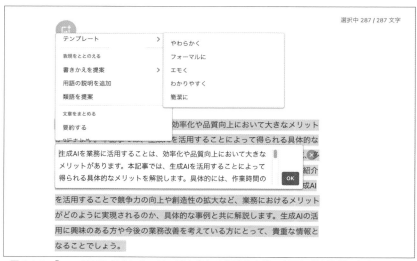

図 6-A-4　「note AI アシスタント」は、書き出しの提案や文体の変更などを簡単に行える

👆 マイクロソフトや Google の業務用ツールに生成 AI が組み込まれ
る予定。文書作成やデータ分析、スライド用の画像生成などを行え
る。Notion や note といったサービスは、すでに AI 機能を導入し
ている。

国産の大規模言語モデル開発の動きも

ChatGPT などの対話型文章生成 AI の回答の元になっているのは、「大
規模言語モデル」（LLM）とよばれるデータの集まりです。ChatGPT で
使われている「GPT モ
デル」や、Google の
Bard で使われている
「PaLM 2」は海外で開
発されたものですが、
日本の企業が独自に
LLM を開発する動きも
あります。

NEC は、自社の
LLM を開発し、そ

図 6-B　NEC は、独自開発の LLM を利用した企業向けサービス
を提供開始　https://jpn.nec.com/LLM/index.html

れを利用した企業向けサービス「NEC Generative AI Service Menu」を
2023 年 7 月に発表。おもに英語で学習を行っている海外製の LLM に比
べて日本語に関する知識量や文章読解力が高く、さまざまな業種での活用
が期待できるとのことです。また、サイバーエージェントも、同 5 月に
日本語 LLM を商用利用可能な形で一般公開しています。日本語データで
学習することで、より自然な日本語の文章の生成が期待できるとしていま

す。このほかに、オルツや rinna といった企業も独自の LLM の開発を手がけています。

文章生成 AI の元となる大規模言語モデル（LLM）を日本で独自に開発する動きも。高い日本語能力の実現が期待されている。

画像生成 AI も人気のツールに

ChatGPT が世の中に登場して一気にブームが広がったのは 2022 年末ですが、画像を生成する AI はその数か月前からすでに大きな話題となっていました。2022 年の 7 月から 8 月にかけて、「Midjourney」「Stable Diffusion」などの画像生成 AI が相次いでサービスを公開。その後、それらの AI を使った派生サービスが登場したり、Adobe が独自の画像生成 AI サービスを発表したりと市場が広がっていきました。各サービスともアップデートを重ね、精度も向上を続けています。

画像生成 AI は、学習元の絵とよく似たものが生成されて著作権侵害が起きる可能性などが指摘されており、それがビジネスで利用するにあたってのハードルになりがちです。ただし、この後に紹介する「Adobe Firefly」のように著作権侵害のおそれのないデータだけを学習元に使った画像生成 AI も登場しており、リスクを避けながら仕事に使うことのできる環境も徐々に整っていきそうです。

なお、画像生成 AI で指示文を入力するときは、単に「猫の絵」とだけ入力するより、「庭で日なたぼっこをする猫の色鉛筆画」のように、シチュエーションや絵のテイストまで具体的に伝えると、思いどおりの絵に近づけることができます。あまり難しく考えず、まずは試行錯誤しながらいろ

いろいろな絵を作ってみるとよいでしょう。ここでは、初心者が比較的手軽に使えるサービスをいくつか紹介します。

画像生成 AI は 2022 年夏頃から注目を集めていた。著作権侵害のおそれのないデータだけを使って学習した AI も登場している。

■ Bing Image Creator

ここまでにも何度か触れているマイクロソフトの対話型 AI「Bing Chat」には、実は画像を生成できる機能も用意されています。使い方はとてもシンプルで、チャットで「庭で日なたぼっこをする猫の色鉛筆画を描いて」のように、描きたいものを指示するだけ。少し待つと、4 枚の候補が出力されます。画像をクリックすれば大きなサイズで開き、ダウンロードすることも可能。チャット上で「猫の全身が見えるカットにしてください」などと追加の指示をして絵を修正してもらうことも可能です。

図 6-C-1　Bing Image Creator で生成した絵。チャット画面上から日本語の指示文で生成できる

Bing Image Creator の画像生成のしくみには、Open AI の画像生成サービス「DALL·E2」（ダリ・ツー）が利用されています。DALL·E2 自体も単

独のサービスとして提供されていますが、そちらは指示文を英語で書く必要があります。一方で、Bing Image Creator は日本語で指示することが可能。料金もかからないので、気軽にいろいろな画像を作ってみることができます。

< Bing Image Creator で画像を生成する>

図 6-C-2　Bing Chat で「○○の絵を描いて」などと指示する。（ここでは「庭で日なたぼっこをする猫の色鉛筆画」）

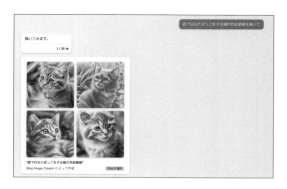

図 6-C-3　しばらく待つと4 枚の絵が生成される。見たいものをクリック

図 6-C-4　絵が大きく表示される。「ダウンロード」ボタンでパソコンにダウンロードすることが可能

■ Dream Studio

　より本格的な画像生成に挑戦したい人におすすめなのが、「Dream Studio」（ドリームスタジオ）です。指示文は英語で入力する必要があり

ますが、画像のスタイルや縦横比、参考画像の利用をはじめとしたさまざまな設定を行えるので、細部までこだわって画像を作ることができます。また、生成された画像を編集モードに切

図 6-C-5　Dream Studio で生成した猫の画像。生成後に背景を書き足すといった編集も可能

り替えて、描かれてない部分を書き足したり、画像を部分的に修復したりも可能です。

　画像の生成や編集には「クレジット」とよばれるポイントが必要になります。必要なクレジットは設定や画像のサイズ、枚数で変動しますが、たとえば標準的な設定で正方形の画像を 4 枚作成する場合なら 2 〜 3 クレ

ジット程度を消費します。アカウント作成時に 25 クレジットが無料で付与され、足りなくなった場合は 1000 クレジット 10 ドルで購入できます。

　ちなみに、この Dream Studio は、画像生成 AI の定番「Stable Diffusion」(ステーブルディフュージョン)の Web 版という位置づけのサービス。Stable Diffusion はパソコンにダウンロードして使用する必要があり、初期設定の難易度もやや高めですが、こちらはサイトにアクセスしてアカウントを作成するだけで使えることがメリットです。

＜ Dream Studio で画像を生成する＞

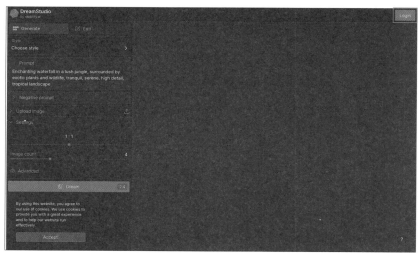

図 6-C-6　Dream Studio（https://dreamstudio.ai/generate）にアクセス。初めて利用するときは、右上の「Login」からアカウントを作成

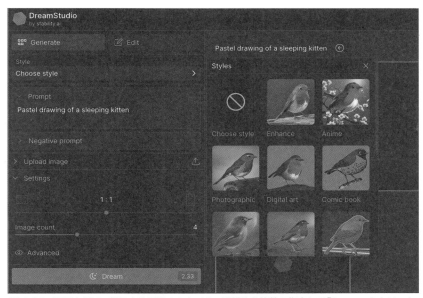

図 6-C-7　画面左側で、指示文や画像のスタイル、縦横比や枚数を指定して「Dream」をクリック

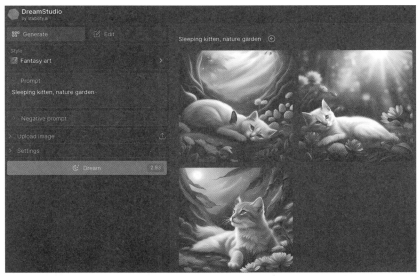

図 6-C-8　画像が生成される。クリックすると拡大表示され、ダウンロードや編集を行える

■ AI PICASSO

　できるだけ手軽に使いたいのなら、スマホアプリとして提供されている「AI PICASSO」が適しています。「テキストから作成」の入力欄に描きたいものを入力して画像を生成します。指示文は日本語にも対応しており、必要に応じて「ファンタジー」「油絵」などの絵のスタイルを選択したり、参考画像を追加することも可能。「おすすめプロンプト」として、指示文のサンプルが多数公開されているので、作りたい絵が決まらない場合に参考になります。無料でも使えますが、その場合は広告が表示され、一部の機能は制限されます。有料版は1週間600円もしくは年間4999円で利用可能。

図 6-C-9　スマホで「AI PICASSO」アプリをダウンロード。日本語で指示文を入力してスタイルなどを選べば画像が生成される

■ Adobe Firefly

　画像編集アプリやグラフィックデザインアプリなど、プロ向けのクリエイティブツールを多数提供している Adobe は、自社独自の画像生成サービス「Adobe Firefly」のベータ（テスト）版を 2023 年 5 月から公開しています。Adobe アカウントがあれば、ブラウザから誰でも利用が可能です。

　最大の特徴は、AI の学習元に自社で提供するストックフォトサービスの画像や著作権切れの画像など、著作権侵害のおそれのないデータだけを使っていること。さらに、透明性を担保するために、生成された画像にはAI 生成物であることを示す情報が自動で付与されるしくみになっています。ベータ版として提供されている間は商用利用ができないルールになっていますが、今後は企業向けの「エンタープライズ版」も提供予定としています。

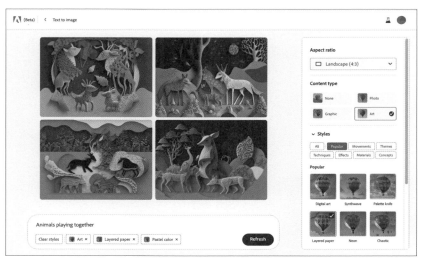

図 6-C-10　ベータ版は、Adobe Firefly（https://firefly.adobe.com/）にアクセスして Adobe アカウントでログインすることで利用できる

動画や音声を生成するツールも

　動画や音楽、合成音声などを生成するツールの開発も進んでいます。テキストや画像の生成に比べるとまだ発展途上ですが、将来はこれらも簡単に生成できるようになっていくかもしれません。

■ Runway Gen 2

　テキストから動画を生成できる AI。作りたい動画の内容などを入力すると、まずサンプルの静止画が 4 枚出力され、そのなかから使用したいものを選んでしばらく待つと、4 秒程度の短い動画が生成されます。画像生成 AI に比べるとまだそこまで高精度ではありませんが、今後の可能性を感じられるサービスです。

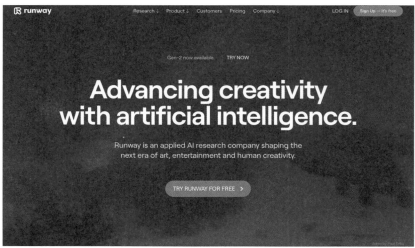

図 6-D-1　テキストで内容を指定して、短い動画を生成できる
https://runwayml.com/

■ MusicGen

　Meta（旧フェイスブック）が開発した音声生成 AI モデル。作りたい音楽をテキストで指示し、サンプルの音楽をアップロードすることで、短い音楽を生成することが可能。AI プラットフォーム「Hugging Face」からデモを試すことができます。

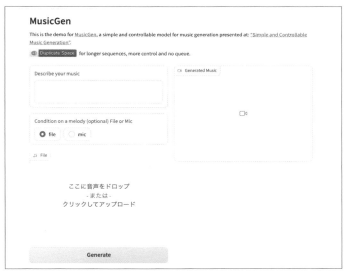

図 6-D-2　テキストとサンプル音源から短い音楽を生成できる
https://huggingface.co/spaces/facebook/MusicGen

■ Voicebox

　テキストと短いサンプルの音声から、合成音声を生成できる AI。こちらも Meta が開発しています。モデルは公開されていませんが、公式サイトにいくつかのサンプルが公開されており、元の音声と生成された音声を聞き比べることができます。

Transient noise removal

Getting interrupted by doorbell or dog barking while recording speech? Now there is no need to re-record the speech anymore. Voicebox can be used like a magic eraser to remove transient noise by re-generating noise corrupted speech.

Text: in zero weather in mid-winter when the earth is frozen to a great depth below the surface when in driving over the unpaved country roads they give forth a hard metallic road

Noisy speech ▶ 0:00
Model input ▶ 0:00
Model output ▶ 0:00

→ **See more examples**

Content editing

Voicebox can also help correct misspoken words without having the speaker to re-record the audio.

Original speech ▶ 0:00
Edited speech ▶ 0:00

Original text: will find himself completely at a loss on occasions of common and constant recurrence speculative ability is one thing and practical ability is another

Edited text: will find himself completely at a loss on rare and unpredictable circumstances speculative ability is one thing and practical ability is another

→ **See more examples**

図 6-D-3　テキストおよび元の音声、生成音声のサンプルが公開されている
https://voicebox.metademolab.com/

■ Shap-E

Open AI が開発した、テキストや画像から 3D モデルを生成する AI。「A penguin」（ペンギン）、「A spaceship」（宇宙船）など作りたいものを入力すると、3D モデルが生成されます。手元の 2D（平面）の画像をアップロードして、それを元に 3D モデルを作ることも可能。「Hugging Face」からデモを試すことができます。

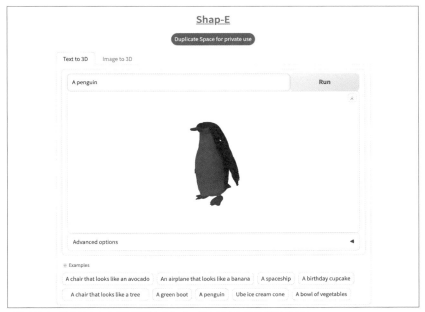

図 6-D-4　テキストから 3D モデルを作成。サンプルも用意されている
https://huggingface.co/spaces/hysts/Shap-E

動画や音楽、音声、3D モデルなどを生成できる AI も開発されている。
デモサイトなどから実際にその機能を体験できるものもある。

クリエイティブツールへの組み込みも進む

　画像編集やグラフィックデザインなど、クリエイティブ制作のためのアプリケーションにも生成AIの機能が組み込まれるようになっています。制作そのものを代行するわけではありませんが、手間のかかる作業を効率化したり、素材の選択肢を増やしたりすることに役立ちます。

■ Canva

　デザイン制作ツールの「Canva」（キャンバ）には、画像生成AIの機能が組み込まれています。作業中の画面の横に画像生成AIのウィンドウが開き、生成した画像をドラッグ＆ドロップしてすぐに制作中のデザインに追加できます。外部の画像生成AIを使う場合、複数の画面を行き来する必要がありますが、ツール内に組み込まれた機能を使えばその画面内だけ

図 6-F-1　Canva（https://www.canva.com/）にログインして、デザイン作成画面左側のメニューで「Text to imge」を選ぶ

で完結するのがメリット。指示文は日本語にも対応し、画像のスタイルも
「写真」「水彩画」などの一般的なものから「サイケデリック」「ステンド
グラス」「レトロアニメ」といったユニークなものまで多彩に揃っていま
す。

■ Photoshop

　画像編集アプリの「Photoshop」のテスト版、「Photoshop（Beta）」には、
Adobeの生成AI「Adobe Firefly」（149ページ参照）を活用した「生成
塗りつぶし」機能が搭載されています。画像内の特定の範囲を選択した後、
そこに追加したいものをテキストで指定することで画像を書き換えるこ
とのできる機能や、被写体はそのままに背景だけを書き換える機能、元の
画像では見切れてしまっている部分を生成する機能などを利用できます。
たとえば、風景を撮影した写真の一部分を選択して、「cat」と入力するこ
とで、まるで初めから写っていたような自然な描写で猫の画像を追加する
といったことが可能です。

図 6-F-2　画像を追加したい範囲を選択して、「生成塗りつぶし」の入力欄に追加した画像の内容
をテキストで指定（今回は「cat」）

図 6-F-3　選択した場所に猫の画像が追加される。まるで最初から写真に写っていたように自然

■ Premiere Pro

　Adobe の動画編集アプリ「Premiere Pro」（プレミアプロ）にも、生成AI「Adobe Firefly」が 2023 年後半に搭載される予定だと発表されています。テキストの指示で動画の色味を調整したり、動画で使う音楽や効果音を生成したり、動画内で使用する独自のフォントやロゴを作ったりできるようになるとのこと。さらに、AI が脚本を解析して、動画の視覚的な動きをまとめたストリートボードを

図 6-F-4　テキストで指示をして動画を編集できる機能は、2023年後半から導入予定となっている
https://blog.adobe.com/jp/publish/2023/04/18/cc-video-reimagining-video-audio-adobe-firefly

自動生成したり、生成AIで個人に最適化された操作ガイドを利用できる
ようになることも予定されています。難易度の高い印象をもたれがちな動
画編集も、生成AIのサポートでハードルが下がっていきそうです。

> デザイン制作や画像編集、動画編集などにも作業をサポートするた
> めの生成AI機能が組み込まれるようになっている。

「AIと共同作業」が当たり前の世界に

　生成AIが進化し、業務ツールやクリエイティブ制作ツールなどにも組
み込まれるようになっていくことで、今後は「人間がAIと共同作業する」
ことが当たり前になっていくと予測できます。「面倒な作業をAIにやって
もらえるようになる」と歓迎する方もいれば、「自分の仕事をAIに奪われ
るのではないか」と不安に感じている方、「機械が作ったものなんて信用
できない」と懐疑的になっている方もいらっしゃるかもしれません。

　本書でも繰り返し触れているとおり、生成AIは完璧ではありません。
現時点ではあくまでも、人間が「AIに何をやってもらうか」を決め、人
間の作業をサポートする役目として使っていくものとなります。あくまで
も人間が主導権をもち、「AIに任せたほうが効率がいいこと」「人間がや
ることに意味があるもの」を切り分けていくことが、今後ますます重要に
なっていくはずです。「人間がAIに使われるようになる」「自分のやって
きたことに価値がなくなる」とネガティブにとらえるのではなく、AIの
助けを借りて自分がパワーアップしていけるチャンスだととらえ、自分
なりの活用の方法を模索してくことが大切です。本章で紹介しているツー
ルのなかには無料で試すことができるものもあるので、少しでも気になっ

たものは実際に触ってみることをおすすめします。手を動かして新しい
ツールに触れることで、今の生成 AI にできること、まだ難しいことなど
が見えてくるはずです。

　生成 AI は日々進化しています。たとえば、本書執筆中の 2023 年 7 月、
ChatGPT の有料ユーザー向けのプラグインとして「Code Interpreter」
（コードインタープリター）という機能が加わりました。これは、プログ
ラミング言語「Python」（パイソン）のコードを ChatGPT のなかで実行
できるもの。既存のデータをアップロードして分析し、結果をグラフにす
るといったことも可能など、その性能の高さが注目を集めています。さら
に、事前に設定した条件で対話のできる機能「Custom instructions」（カ
スタム指示）も、有料ユーザー向けに提供開始されました。

　また、Google の対話型生成 AI「Bard」およびマイクロソフトの「Bing
Chat」は、画像を解析できる機能をそれぞれ導入しました。写真をアッ
プロードして、「この写真には何が写っていますか？」などと質問すると
内容を答えてくれるもの。Bard は本書執筆時点では日本語未対応ですが、
Bing Chat は日本語版のサービスですでに使うことができます。こちらも
工夫次第でさまざまな活用方法が生まれそうです。

　進化しつづけるツールとうまくつき合い、適切に活用していくことが、
これからの時代にはより重要になっていくのです。

さまざまなツールに生成 AI が組み込まれ、AI と人間が共同で作業
することが当たり前になっていく。主導権はあくまでも人間にあ
る。

AIで実在の人間の「クローン」を 作り出す!?

　ChatGPTはネット上の膨大なデータをもとに会話をしますが、特定の個人のデータだけをもとにしたAIも登場しています。AIベンチャー企業のオルツが開発を進める「CLONEdev（クローンデブ）」は、実在の人物のデータを取り込んで、その人そっくりの「クローン」をデジタル上に再現するプラットフォーム。まず、TwitterやLINEなどのデータを読み込ませたり、好きなもの、嫌いなもの、尊敬している人といった項目を登録したりして、その人の思考をAIに学習させます。続いて声や表情の登録を行うと、それらを元に生成された実在の姿そっくりの「クローン」が画面に現れます。たとえば、「AIの未来についてどう思いますか？」などと話しかけると、その人の表情や声を再現し、その人が実際に"言いそうなこと"を話し出すのです。

　まるでSFの世界のような話ですが、これは、個人の思考が反映されたTwitterなどのデータを大規模言語モデルに学習させることで、その人の個性を反映させた対話型AIを作り出し、さらに、そこに声や映像のデータを学習させて作り出した映像を組み合わせるしくみで実現しています。CLONEdevのクローン生成機能は、2023年8月頃から一般ユーザーが利用できる形で提供開始されるとのこと。誰もが「デジタルの世界の分身」を作れる時代がすでに来ているのです。

おわりに

生成 AI はあくまでも " 道具 "

　今、ビジネス界では「生成 AI をいかに活用していくか」が大きなテーマとなっており、インターネット上では日々たくさんのノウハウが共有されています。また、ChatGPT の登場以降も、毎日のように新しい生成 AI のサービスが登場し、それらをいち早く試した人たちがその感想を SNS などで報告しあう姿もみられます。なかには、「生成 AI はすごい！世の中はこれで一変する！」と大絶賛する人もいれば、「人間の仕事が奪われる。〇〇の職業の人は失業する」などと、不安になることをいう人もいます。たしかに生成 AI は優れたツールです。そして、一定のリスクが存在することも間違いありません。しかし私は、大げさに持ち上げるのも、必要以上に恐れるのも「よいつき合い方」とはいえないと考えています。

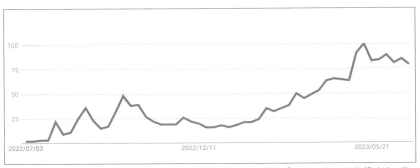

「生成 AI」のキーワードがどのくらい Web 検索されたかを表すグラフ。ChatGPT がリリースされた時期（グラフ中央付近）から大きく上昇している（Google トレンド 2022 年 7 月 1 日〜2023 年 6 月 30 日）

生成 AI はあくまでも道具に過ぎません。よい使い方をするのも、悪い使い方をするのも人間次第です。悪い使い方をした結果だけを見て「AI は危険なもの」とするのは極端な話ですし、よい使い方ができているケースだけを見てリスクを考えないのも危険です。そしてそれは、世の中のどんな道具でも同じはずです。たとえば、自動車には交通事故のリスクがありますが、だからといって「自動車は危ないから禁止」とするのは理不尽な話です。「自動車が怖いから外に出ません」というわけにもいきません。一定のリスクがある道具でも、そのリスクを減らすにはどうするべきかを社会全体で考え、ルールづくりや環境整備を進めてきたはずです。AI もそれと同じ流れをたどっていくと考えられます。

　今、世の中には、「生成 AI を仕事に役立てる」「生成 AI を使ってお金をかせぐ」といったテーマの書籍やオンラインコンテンツがたくさんあります。それらはすぐにでも仕事で生成 AI を活用したい人にとっては貴重な情報ですが、もっとゆるやかに ChatGPT などの生成 AI とつき合いたい、趣味の延長で触ってみたいという方に向けた情報は少ないように感じていました。そこで本書はあえて、「仕事での活用がメインではない」「趣味・教養として ChatGPT を知りたい」というニーズに応える内容としています。

　実際に ChatGPT を使ってみると、気軽になんでも相談できる相棒を得たような心強さがあります。「うまく使いこなすには…」などと肩肘を張って考えずに、「新しい相棒」くらいの感覚で、まずは会話を楽しんでみてもよいかもしれません。しばらく使ってみると、「こういう質問に答えるのは得意なんだな」「この質問は苦手みたい」「たまに大嘘をつくなぁ…」など、この相棒のクセもわかってくるはずです。人間同士と同じように、試行錯誤を重ねながら「よい関係」を築いていけばいいのです。

本書は発行から時間が経っても役立てていただけるような内容としていますが、生成AIの世界は動きがとても早いため、時間経過とともに情報が変わってしまう部分も出てくるかと思います。私のtwitterやnoteでも最新の話題を紹介していますので、あわせてご覧いただければ幸いです。

　本書を通して、少しでも多くの方にChatGPTの魅力が広まれば幸いです。

2023年7月18日

酒井麻里子

酒井麻里子さんのSNSなど		
twitter	@sakaicat	
note	https://note.com/sak_	
Threads	@sakaimariko24	

趣味の Chat GPT ポイント集

各章の本文中に掲載した「ポイント」をまとめました。
復習・振り返りにご活用ください。

Chapter01 のポイント

意外と古い AI の歴史

⇒最初に「AI」という言葉が使われたのは 70 年近く前とされる。
3 度のブームを経て現在のレベルまで進化を続けてきた。

「ディープラーニング」で AI の性能は大幅に向上

⇒人間の脳に似せたしくみで情報処理を行う「ディープラーニング」の登場で、AI の性能は大きく向上。複雑な判断を行えるようになった。

ChatGPT が「会話」をするしくみ

⇒ ChatGPT は、適切な質問と回答を学習する「教師あり学習」、回答を人がフィードバックする「報酬モデルの学習」、回答が適切かどうかを自己評価する「強化学習」などによって高精度な回答を実現している。

ChatGPT と Web 検索の違い

⇒ ChatGPT は、そのままでは最新の話題について答えることができない。ただし、Web 検索の結果を反映する「Browse with Bing」プラグインを使えば補うことが可能。

調べものの「入り口」として使うのがおすすめ

⇒「Browse with Bing」プラグインなどの検索結果を反映できる対話型生成 AI でおおまかな情報を把握し、正確な情報は参照元の Web ページを確認する。

「Bing Chat」や「Bard」は何が違うの

⇒ ChatGPT のほかにも、Microsoft の「Bing Chat」、Google の「Bard」といった対話型生成 AI のサービスがある。

派生サービスは目的特化

⇒ ChatGPT のしくみが組み込まれた外部のサービスが多数登場している。特定の目的にフォーカスしたものが多い。

Chapter02 のポイント

「丸投げ」ではなく「協業」で使う

⇒ AI に的確な指示を出すには、人間側に生成するものに対する理解が求められる。知識ゼロのものを丸投げして作ってもらうのではなく、「協業」することが大切。

「なにをしたいか」を明確に。ときには結果を疑うことも大切

⇒ねらいどおりのレシピを生成するには、どんな条件で何をしたいのかを明確に伝えることが大切。また、生成されたレシピが正しいか疑う視点も必要になる。

「考えを深めるツール」として役立つ

⇒ Bing Chat は文学作品の内容も比較的正しく把握できるケースが多い。作品について AI と議論し、自身の考えを深めるツールとして使える。

趣味や生活で使う場合の注意点

⇒趣味や生活で使う場合は、すべてが正しいわけではないことを念頭におき、AI に丸投げせず、必要に応じて AI を使用したことを開示することが必要。

Chapter03 のポイント

ChatGPT でメールの下書きをする

⇒メールの文面を生成するときは、内容を箇条書きで挙げて指示する。「礼儀正しく、ていねいな文面で」など、文章の方向性も示すとよい。

長い文章を要約する

⇒元の文章の全文を入れて「要約して」と指示すれば、文章を短くまとめることができる。「箇条書きで」「300 字以内で」といった形式の指定も可能。

文章のスタイルや文体を書き換える

⇒難しい文章を簡単にしたり、「です・ます調」と「だ・である調」を変換したり、長い文章から Q&A を作ったりすることもできる。

イベントの企画を考える

⇒アイデアを ChatGPT に出してもらい、採用したいものがあれば追加質問で詳細な内容を詰めていく。相談相手として活用しよう。

英語のメールを翻訳し、返信文も考える

⇒翻訳したい英文のメールなどを入れて、「日本語に翻訳して」と指示すれば翻訳が可能。日本語の指示で英語の返信文を作ることもできる。

仕事で使う場合の注意点

⇒ ChatGPT を仕事に使う場合は、内容が正しいかどうかの確認を必ず行い、個人情報や機密情報の入力を避ける。必要に応じて入力したデータを AI のトレーニングに使わせない設定も行う。

画像生成 AI で作成、イメージ

Chapter04 のポイント

使いこなしの七箇条は「ナイスなうさぎ」

⇒ ChatGPT などの対話型生成 AI を有効活用するための 7 つの
コツは「ナイスなうさぎ」と覚えよう。

指示文を上手に書くコツ

⇒指示文では、前提条件を具体的に伝え、見出しや箇条書きを
使って整理して書くことや、必要に応じて見本を見せること
がポイント。また、思いどおりの結果にならなかった場合は、
追加の指示で修正する。

本質は「人への指示」と同じ

⇒ ChatGPT への指示で求められることは、じつは人間に依頼
する場合とさほど変わらない。「相手にとってわかりやすく
伝える」ことが大切。

Chapter05 のポイント

生成 AI の普及で懸念されていること

⇒生成 AI のリスクとして、誤情報の拡散や情報漏えい、著作権侵害、教育への悪影響などの可能性が指摘されている。

企業は「自社専用の生成 AI」を導入

⇒企業でも生成 AI の活用は広がりつつある。ChatGPT をベースに自社専用として構築した独自の AI ツールを導入するケースも多い。

各地の自治体でも導入が進む

⇒各地の自治体でも ChatGPT の活用が進む。全国に先がけて導入した横須賀市では 8 割以上が「効率化につながる」と回答。

組織向けのガイドラインも公開

⇒日本ディープラーニング協会は、組織向けに「生成 AI 利用のガイドライン」を公開。必要事項を書き換えるだけで利用できる。

文部科学省の「ガイドライン」はどんな内容？

⇒文部科学省は、小中高校向けのガイドラインを公開。適切で
はない使い方や可能性のある使い方が具体例で示されてい
る。

大学での対応はさまざま

⇒大学も生成 AI に対する方針を表明。厳格に禁止とするケー
スから、適切な活用をうながすものまで対応が分かれる。

「AI の文章を見分けるツール」の精度は？

⇒ AI が生成した文章を見分けるツールの結果は必ずしも正し
いとは限らない。ChatGPT に直接「あなたが作った文章か」
を聞くのは避ける。

活用 or 禁止、今後はどうなっていく？

⇒日本では一定のリスク対策を行ったうえで活用を模索する傾
向が強い。今後もこの動きが広がっていくと予測される。

Chapter06 のポイント

業務ツールへの生成 AI 組み込みは当たり前に

⇒マイクロソフトや Google の業務用ツールに生成 AI が組み込まれる予定。文書作成やデータ分析、スライド用の画像生成などを行える。Notion や note といったサービスは、すでに AI 機能を導入している。

国産の大規模言語モデル開発の動きも

⇒文章生成 AI の元となる大規模言語モデル（LLM）を日本で独自に開発する動きも。高い日本語能力の実現が期待されている。

画像生成 AI も人気のツールに

⇒画像生成 AI は 2022 年夏頃から注目を集めていた。著作権侵害のおそれのないデータだけを使って学習した AI も登場している。

動画や音声を生成するツールも

⇒動画や音楽、音声、3D モデルなどを生成できる AI も開発されている。デモサイトなどから実際にその機能を体験できるものもある。

クリエイティブツールへの組み込みも進む

⇒デザイン制作や画像編集、動画編集などにも作業をサポート
するための生成 AI 機能が組み込まれるようになっている。

「AI と共同作業」が当たり前の世界に

⇒さまざまなツールに生成 AI が組み込まれ、AI と人間が共同
で作業することが当たり前になっていく。主導権はあくまで
も人間にある。

画像生成 AI で作成、イメージ

INDEX

参考文献・参考資料

＜書籍＞

松尾 豊 著『人工知能は人間を超えるか ディープラーニングの先にあるもの』
(角川 EPUB 選書)

岡﨑直観、荒瀬由紀、鈴木 潤、鶴岡慶雅、宮尾祐介 著『IT Text 自然言語処理の基礎』
（オーム社）

『ゼロからわかる人工知能　完全版』（ニュートンプレス）

『Newton 2023 年 7 月号「ChatGPT の衝撃」』（ニュートンプレス）

＜資料＞

『Prompt Engineering Guide』（DAIR.AI）
https://www.promptingguide.ai/jp

『令和 2 年度著作権セミナー「AI と著作権」』（文化庁）
https://www.bunka.go.jp/seisaku/chosakuken/93903601.html

『初等中等教育段階における生成 AI の利用に関する暫定的なガイドライン』
（文部科学省）
https://www.mext.go.jp/content/20230704-mxt_shuukyo02-000003278_003.pdf

酒井 麻里子 (さかいまりこ)

ITライター／新技術ウォッチャー。
XR、ジェネレーティブAIなどの新しいテクノロジーや企業のDX取材、技術者・経営者へのインタビュー、技術解説記事、スマホ・ガジェット等のレビュー記事などを執筆。Yahoo!ニュース公式コメンテーター（IT分野）。株式会社ウレルブン代表。Twitter（@sakaicat）では、IT業界の話題やツール活用などを発信。

超初心者&ITに馴染めない「大人」に贈る 趣味のChatGPT

2023年8月23日　初版第1刷発行

著　者　酒井麻里子

発行者　柴山斐呂子

発行所　理工図書株式会社

〒102-0082 東京都千代田区一番町27-2
電話 03 (3230) 0221 (代表)
FAX 03 (3262) 8247
振替口座 00180-3-36087番
http://www.rikohtosho.co.jp
お問合せ info@rikohtosho.co.jp

© 酒井麻里子　2023　Printed in Japan　ISBN978-4-8446-0931-5
印刷・製本 丸井工文社

本書のコピー等による無断転載・複製は、著作権法上の例外を除き禁じられています。
内容についてのお問合せはホームページ内お問合せもしくはメールにてお願い致します。落丁・乱丁本は、送料小社負担にてお取替え致します。